FRANCOPHONIES
D'AMÉRIQUE

FRANCOPHONIES
D'AMÉRIQUE

Printemps 2011   Numéro 31

Les Presses de l'Université d'Ottawa
Centre de recherche en civilisation canadienne-française

FRANCOPHONIES
D'AMÉRIQUE

Printemps 2011 Numéro 31

Directeur :

François Paré
Université de Waterloo
Courriel : fpare@uwaterloo.ca

Conseil d'administration :

Gratien Allaire, président
Université Laurentienne, Sudbury

Mourad Ali-Khodja
Université de Moncton

Paul Dubé
Université de l'Alberta, Edmonton

Anne Gilbert
CRCCF, Université d'Ottawa

Comité éditorial :

Marianne Cormier
Université de Moncton

Sylvie Dubois
Louisiana State University

Lucie Hotte
Université d'Ottawa

Cilas Kemedjio
Université de Rochester

Jean-Pierre Le Glaunec
Université de Sherbrooke

Johanne Melançon
Université Laurentienne

Pamela V. Sing
Université de l'Alberta

Recensions :

Dominique Laporte
Université du Manitoba
Courriel : laported@cc.umanitoba.ca

Révision linguistique :

Josée Therrien

Correction d'épreuves et coordination :

Colette Michaud

Mise en page :

Monique P.-Légaré

Maquette de la couverture :

Christian Quesnel

En couverture : La comédienne Marie-Claire Marcotte dans la pièce *La maculée*, de Madeleine Blais-Bahlem, présentée par La Troupe du Jour (Saskatoon) à la Cour des arts (Ottawa), les 13 et 14 septembre 2011. Photographie : Marianne Duval, Gatineau (Québec)

Francophonies d'Amérique est indexée dans :

Klapp, *Bibliographie d'histoire littéraire française* (Stuttgart, Allemagne)

International Bibliography of Periodical Literature (IBZ) et International Bibliography of Book Reviews (IBR) (Osnabrück, Allemagne)

International Bibliography of the Social Sciences (IBSS), The London School of Economics and Political Science (Londres, Grande-Bretagne)

MLA International Bibliography (New York)

REPÈRE – Services documentaires multimédia

Cette revue est publiée grâce à la contribution financière des universités suivantes :

UNIVERSITÉ D'OTTAWA ; UNIVERSITÉ LAURENTIENNE DE SUDBURY ; UNIVERSITÉ DE MONCTON ; UNIVERSITÉ DE L'ALBERTA – CAMPUS SAINT-JEAN

ISBN : 978-2-7603-0775-9
ISSN : 1183-2487 (Imprimé)
ISSN : 1710-1158 (En ligne)
Dépôt légal – Bibliothèque et Archives nationales du Québec, 2012
Dépôt légal – Bibliothèque et Archives Canada, 2012
Les Presses de l'Université d'Ottawa/Centre de recherche en civilisation canadienne-française, 2012
Imprimé au Canada

Comment communiquer avec

FRANCOPHONIES
D'AMÉRIQUE

POUR LES QUESTIONS D'ABONNEMENT, DE DISTRIBUTION
OU DE PROMOTION :

Monique P.-Légaré
Centre de recherche
en civilisation canadienne-française
Université d'Ottawa
65, rue Université, bureau 040
Ottawa (Ontario) K1N 6N5
Téléphone : 613 562-5800, poste 4007
Télécopieur : 613 562-5143
Courriel : mlegare@uOttawa.ca
Site Internet : http://www.crccf.uOttawa.ca/francophonies_amerique/index.html

POUR TOUTE QUESTION RELEVANT DU SECRÉTARIAT DE RÉDACTION :

Colette Michaud
Secrétariat de rédaction, *Francophonies d'Amérique*
Centre de recherche
en civilisation canadienne-française
Université d'Ottawa
65, rue Université, bureau 040
Ottawa (Ontario) K1N 6N5
Téléphone : 613 562-5800, poste 4001
Télécopieur : 613 562-5143
Courriel : cmichaud@uOttawa.ca

Francophonies d'Amérique est disponible sur la plateforme Érudit à l'adresse suivante :
http://www.erudit.org/revue/fa/apropos.html.

Table des matières

Lieux de rencontre

François PARÉ
Présentation...9

Jeanette DEN TOONDER
*Lieux de rencontre et de transition : espaces liminaires et zones
de contact dans* Nikolski 13

Lucie HOTTE
Le Dernier des Franco-Ontariens : *la rencontre entre un livre et un film*......31

Jean-Philippe CROTEAU
*Les commissions scolaires et les immigrants à Toronto et à Montréal
(1900-1945) : quatre modèles d'intégration en milieu urbain* 49

Geneviève RICHER
*« L'apôtre infatigable de l'irrédentisme français » : la lutte de Napoléon-
Antoine Belcourt en faveur de la langue française en Ontario durant
les années 1910 et 1920* 87

Adeline VASQUEZ-PARRA
*L'intégration de l'Amérique francophone dans l'espace touristique
européen : le cas de la Maison Champlain à Brouage (France)* 109

Mariette THÉBERGE et Marie-Eve SKELLING DESMEULES
Le Festival Théâtre Action en milieu scolaire comme lieu de rencontre............125

RECENSIONS

Andrée Lévesque, *Éva Circé-Côté : libre-penseuse (1871-1949)*
Patrick BERGERON 147

Serge Bouchard et Marie-Christine Lévesque, *Elles ont fait l'Amérique,*
t. 1 : *De remarquables oubliés [sic]*,
Monika BOEHRINGER 150

Louis Gagnon, *Louis XIV et le Canada : 1658-1674*
Constance CARTMILL..152

John Winslow, *Journal de John Winslow à Grand-Pré*,
traduit par Serge Patrice Thibodeau
Pénélope CORMIER 155

André Magord (dir.), *Le fait acadien en France : histoire et temps présent*
Isabelle LeBLANC..158

Benoit Doyon-Gosselin (dir.), Dossier « Herménégilde Chiasson »,
Voix et images
Glenn MOULAISON 161

Agnès Whitfield (dir.), *L'écho de nos classiques :* Bonheur d'occasion
et Two solitudes *en traduction*
Pamela V. SING..163

PUBLICATIONS ET THÈSES SOUTENUES (2010-2011)
Krysteena GADZALA...169

Résumés / Abstracts..177

Notices biobibliographiques 183

Politique éditoriale..187

Présentation

FRANCOPHONIES
D'AMÉRIQUE

François Paré
Université de Waterloo

D ANS LA VIE DES COLLECTIVITÉS comme dans celle des individus, les lieux de rencontre sont toujours porteurs de renouvellement. C'est pourquoi les déplacements, les aires de contacts inter-culturels, les approches comparatistes et traductives du savoir et les récits migratoires provoquent aujourd'hui un tel intérêt chez les chercheurs. Aux confins de l'étude des sociétés modernes et de leurs processus de sédimentation se poserait donc une anthropologie de la rencontre. Confrontées à la différence, forcées de se penser comme cette différence même, les sociétés modernes savent que les itinéraires croisés qui les travaillent de l'intérieur entraînent des transformations décisives. La vie des individus et plus largement celle des collectivités sont structurées par une poétique de l'étonnement que de nombreux écrits tentent aujourd'hui d'élucider.

C'est ainsi que, pour reprendre l'expression de Fernand Dumont, chacun est en mesure de faire sa marque et de « peser efficacement sur l'histoire » (1993 : 18). La genèse des sociétés n'est véritablement achevée que lorsque celles-ci prennent enfin conscience d'une mémoire commune. Ce moment de grâce et de partage, si difficile à reconnaître tant son évidence lui confère transparence et invisibilité, est assorti, pour Dumont, d'un argument prophétique. Le verbe « advenir » est au cœur du pays imaginé ; et cette détermination « n'en est pas moins la forme première d'un destin que les sociétés doivent assumer même quand elles songent à s'en affranchir » (1993 : 18). Voilà que tout arrivera à son dénouement attendu.

Toutefois, le quotidien des individus et des sociétés montre la fragi-lité d'un tel utopisme, alors que les possibilités de déviation, souvent profondes, ne cessent de se présenter. Il faut alors voir les lieux de rencontre comme des occasions à saisir pour se réinventer sur place. À l'intersection de l'individuel et du collectif, le destin est toujours multiple et métis. Voilà sans doute ce que cherchait à montrer le film de Jean Marc Larivière *Le dernier des Franco-Ontariens* (1996), à la suite du recueil éponyme de Pierre Albert. Tourné dans le Nord de l'Ontario, ce film mettait en scène une série de croisements et d'interrogations insolites, comme si l'espace dévasté du Nord permettait de transcender la clôture définitive de l'histoire et de recommencer ainsi, question par question, parmi les débris du sens. Cette œuvre de Jean Marc Larivière forme en quelque sorte la porte d'entrée de ce numéro thématique.

En présentant, il y a vingt ans, la nouvelle revue universitaire qu'il venait de fonder, Jules Tessier disait souhaiter que *Francophonies d'Amérique* serve « de lieu de rencontre pour mettre en commun le résultat des études et des travaux portant sur différents aspects de la vie française à l'extérieur du Québec » (1991 : 1). Le texte de présentation, qu'il signait alors au nom des universités qui participaient au financement de la revue, faisait état à maintes reprises de la nécessité de susciter des « dialogues » inédits entre les chercheurs et les communautés qu'ils desservent et de relier entre eux « les isolats de langue française en Amérique » (1991 : 1). Les champs d'intérêt et le lectorat de *Francophonies d'Amérique* se sont considérablement élargis au cours des années. Les chercheurs francophones ont certainement moins de raisons de se sentir isolés, puisque de nombreuses ressources sur Internet leur permettent de quadriller le gigantesque espace vital que forment les Amériques dans leur pluralité. La revue persiste aujourd'hui à tracer les contours d'une américanité particulière, fragmentée certes, mais consciente de ses surfaces prismatiques et de ses manifestations inattendues. Plusieurs réseaux de chercheurs se sont d'ailleurs servis de ses pages pour témoigner de leurs objectifs et diffuser leurs recherches.

Notre travail doit donc être la mise en place d'un nouvel « ordre complexe », pour reprendre l'expression d'Arjun Appadurai. Créer des lieux de rencontre, c'est contribuer dès lors à dissiper les dynamiques d'opposition et à proposer un modèle d'analyse « à la fois disjonctif et possédant des points de superposition, qui ne peut plus être compris dans les termes des modèles centre-périphérie existants » (Appadurai, 2005 : 70). Pour Appadurai, les « imaginaires historiquement situés », en position de coexistence et d'interpénétration sur toute la planète, engendrent des disjonctions « au fur et à mesure que les groupes boug[ent] tout en restant liés les uns aux autres grâce à des modes de communication sophistiqués » (2005 : 81). Ainsi en est-il en nos pages de cette Amérique francophone qui, en dépit de sa dispersion continentale, n'a jamais été aussi profondément fascinée par son *omniprésence*. Ce numéro de *Francophonies d'Amérique* a permis de rassembler diverses études dans une variété de disciplines sur les lieux de rencontre : espaces touristiques, théâtres, intégration des immigrants en milieu scolaire, débats parlementaires, zones de contact et de friction dans le récit et le film. Dans chacun des cas, une problématique de l'ouverture est aussitôt posée. C'est alors que l'étonnement survient et s'impose comme une méthodologie.

BIBLIOGRAPHIE

APPADURAI, Arjun (2005). *Après le colonialisme : les conséquences culturelles de la globalisation*, traduit de l'anglais par Françoise Bouillot, Paris, Payot, coll. « Petite Bibliothèque Payot ».

DUMONT, Fernand (1993). *Genèse de la société québécoise*, Montréal, Éditions du Boréal.

TESSIER, Jules (1991). « Présentation », *Francophonies d'Amérique*, n° 1, p. 1-6.

Lieux de rencontre et de transition : espaces liminaires et zones de contact dans *Nikolski*

Jeanette den Toonder
University of Groningen

NIKOLSKI[1], le premier roman de Nicolas Dickner, retrace la vie de trois jeunes protagonistes sur une période de dix ans, de 1989 à 1999 : un narrateur anonyme, qui travaille dans une librairie de livres d'occasion, Noah Riel, étudiant en archéologie, et Joyce Doucet, employée dans une poissonnerie. Ces trois récits, dont le premier est autodiégétique tandis que ceux de Noah et Joyce présentent une narration hétérodiégétique, « s'entrecroisent de façon apparemment aléatoire » (Biron, 2005 : 144). Au fil de la lecture, on comprendra que le narrateur anonyme et Noah sont demi-frères et que Joyce est leur cousine. Eux-mêmes ignorent ces liens, mais comme ils s'installent tous les trois dans le même quartier de Montréal, la Petite Italie, le lecteur s'attend à ce que leurs destins se croisent et qu'ils finissent par découvrir leurs liens familiaux. Si on assiste à de brèves rencontres entre les personnages, elles n'aboutiront toutefois pas à une scène de reconnaissance où les liens seront révélés. Cette non-révélation est évidemment un jeu avec les conventions romanesques[2], qui fait en sorte que les aspects demeurés inexpliqués nourrissent l'imagination du lecteur. Ce procédé, qui caractérise d'ailleurs chaque œuvre de fiction, est souligné dans une intervention de l'auteur : « Voilà bien le problème avec les événements inexplicables : on finit immanquablement par conclure à la prédestination, au réalisme magique ou au complot gouvernemental » (p. 178). Si cette phrase

---

[1]   Nicolas Dickner, *Nikolski*, Québec, Éditions Alto, 2005. Désormais, la page sera indiquée après les citations tirées de cet ouvrage.

[2]   À cet égard, Michel Biron fait remarquer, dans sa chronique publiée dans *Voix et Images* : « Avec humour, ce roman s'amuse ainsi à créer des attentes qu'il s'applique ensuite à décevoir, comme pour échapper aux conventions de la fiction » (2005 : 144).

semble encourager le lecteur à ne pas exagérer ses explications à propos des coïncidences qui composent le monde fictionnel, elle montre aussi les possibilités illimitées de la fiction, qui fascinent aussi bien l'auteur que le lecteur.

D'une part, les liens entre les personnages renforcent la cohérence de l'intrigue. D'autre part, la non-révélation de ces liens est exemplaire des « non-relations familiales » (Boisclair, 2008 : 278) qui caractérisent la situation des trois jeunes protagonistes : « chacun grandit en l'absence du parent du même sexe et s'émancipe du milieu familial dès la fin de l'adolescence » (Boisclair et Martin, 2009 : 50). Le roman débute au moment où les trois personnages ont atteint l'âge de dix-huit ans et qu'ils se préparent à quitter leur demeure familiale[3] pour parcourir le monde. Ainsi, cette œuvre se présente comme un roman d'apprentissage où l'émancipation et l'autodétermination des personnages sont marquées par l'absence de liens familiaux. Comme ils ne se laissent pas guider par des conventions ou des traditions, mais, au contraire, par le hasard, ils sont ouverts à des événements inattendus et à des rencontres fortuites. Il en résulte des personnages non stéréotypés qui se découvrent grâce à des histoires, des événements, des voyages et des contacts que le destin semble leur envoyer. Le narrateur, Noah et Joyce sont, en effet, « des identités en projet, des individus en procès » (Boisclair, 2008 : 285). Dans cet article, je me propose d'examiner la façon dont ces processus d'émancipation prennent forme en me basant sur la notion de zone de contact telle qu'elle a été présentée par Mary Louise Pratt dans « Arts of the Contact Zone » (1991)[4]. Ce terme permet d'analyser les échanges et les confrontations entre différents individus et différents groupes, en considérant les expériences variées de chacun. En tenant compte des changements qu'ont apportés l'appel à la diversité et le multiculturalisme, Pratt insiste sur la nécessité d'une confrontation entre de multiples histoires, divers points de vue et des expériences variées pour contrecarrer les perspectives qui

---

[3]   Le narrateur quittera la maison de sa mère qui vient de mourir pour s'installer dans un nouvel appartement. Noah quitte sa mère pour entreprendre des études à Montréal, et Joyce, fascinée par l'idée que sa mère était une flibustière, quitte son village natal afin de poursuivre sa propre carrière de pirate.

[4]   Pratt explique cette notion de la façon suivante : « *I use this term to refer to social spaces where cultures meet, clash, and grapple with each other [...]* » (1991 : 33). (« Je me sers de cette notion pour renvoyer à des espaces sociaux où des cultures se rencontrent, se heurtent et luttent les unes avec les autres [...]. ») (Nous traduisons.)

propagent, aujourd'hui encore, une compréhension unifiée et homogène du monde. C'est la zone de contact qui permet une telle confrontation avec des idées autres et inconnues et qui aide l'individu à se libérer du carcan de la tradition, à évaluer et à critiquer sa propre perspective qu'il a, jusque-là, acceptée comme valeur universelle. La zone de contact permet de dépasser les limites imposées par la hiérarchie et les conventions, tout en étant un espace social de tension, parfois désagréable.

En laissant le passé derrière eux, le libraire-narrateur, Noah et Joyce quittent les lieux sûrs mais trop restreints de leur enfance et de leur adolescence afin de s'aventurer dans des zones où ils peuvent se développer. Dans le cadre de cette étude, la définition plutôt abstraite qu'offre Pratt de la zone de contact peut être précisée à l'aide de lieux spécifiques où s'aventurent les personnages et qui sont indispensables dans le processus de leur émancipation. Il s'agit, d'une part, de lieux familiers et intimes tels les appartements et les chambres où ils vivent et, d'autre part, de lieux inconnus et parfois sinistres, par exemple des îles lointaines ou des endroits urbains interdits au public comme les dépotoirs. Dans ces espaces, l'inconnu et le familier se rencontrent, ils fonctionnent comme des espaces de l'entre-deux qui déterminent la transformation des protagonistes et donnent lieu à des rencontres inattendues. Ainsi est créée une situation qui, dans des études anthropologiques, a été désignée par le mot « liminalité[5] ». D'après Victor Turner, « *in liminality people "play" with the elements of the familiar and defamiliarize them. Novelty emerges from unprecedented combinations of familiar elements*[6] » (1979 : 20).

Je me propose donc de lier les notions de liminalité et de zone de contact, afin d'analyser les différents lieux du roman qui se présentent comme des espaces liminaires et de préciser les effets des rencontres qui surviennent dans ces espaces. Selon mon hypothèse, c'est le jeu d'ensemble entre zone de contact et liminalité qui donnera lieu à une meilleure compréhension des voyages et du développement identitaire des personnages.

---

[5]   Voir Arnold van Gennep (1960) et Victor Turner (1969).

[6]   « en liminalité, les personnes "jouent"avec les éléments qui leur sont familiers afin de les défamiliariser. La nouveauté émerge de l'assocation sans précédent d'éléments familiers. » (Nous traduisons.)

Métaphores de la mer

La mer détermine les origines de Joyce, « ultime descendante d'une longue lignée de pirates » (p. 58), qui grandit dans une petite communauté de la Basse-Côte-Nord. Elle préfère la compagnie de son grand-père maternel à « la horde batailleuse » (p. 57) des cousins qui constituent « l'envahissante famille » (p. 58) de son père. Elle se sent prisonnière de cette famille qui ne voyage pas et infeste sans cesse son espace. Rien d'étonnant à ce que la famille nomade de sa mère soit absente : l'invisibilité des ancêtres corsaires rend leur sort d'autant plus attirant. Joyce adore les récits de cette famille légendaire que lui raconte le seul membre encore vivant, son grand-père Lyzandre, car ils permettent à la jeune fille de fuir les espaces clos qui l'étouffent. Tous les liens disparaissent lorsque son grand-père Lyzandre meurt et que, symboliquement, sa maison est avalée par de grandes marées. La mer a fait disparaître sa famille entière. Désormais unique héritière, la jeune fille désire perpétuer les traditions et devenir pirate. Elle a la mer dans le sang et pas seulement du côté de sa mère. En effet, la famille paternelle, s'étant enracinée à Tête-à-la-Baleine, a développé la vocation de la pêche dont Joyce a hérité l'art de découper en filets toutes sortes de poissons. Ainsi, lors de son aventure à Montréal, elle réussit à vivre grâce à son travail dans une poissonnerie où, « en fermant ses yeux, elle se croi[t] presque revenue dans la cuisine de son père, à Tête-à-la-Baleine » (p. 86). Parallèlement, elle poursuit une autre carrière, qui commence après l'heure de fermeture du magasin : quand il fait nuit, elle va à la pêche « au cimetière secret » (p. 118) des ordinateurs, le dépotoir. Grâce aux ordinateurs hors d'usage, écrans, claviers, modems et disques durs qu'elle y trouve, la protagoniste devient une pirate du XXIe siècle, c'est-à-dire une pirate de messageries électroniques dans Internet. La métaphore de la pêche est évidente : d'une part, la pêche très concrète lui offre un lieu de sécurité, celle de la poissonnerie, où elle peut renifler l'odeur du sang de poisson qui lui est si familière. D'autre part, la mer la conduit aussi vers cet autre lieu où elle pourra exercer sa vocation de pirate et qui se présente comme un espace liminaire : le dépotoir. Dans ce lieu interdit où elle risque d'être arrêtée par des gardiens de sécurité, où elle apprend à déjouer les caméras de surveillance, elle adoptera une nouvelle identité.

La transformation de Joyce se déroule en deux étapes. Lors de sa première pêche dans les déchets du quartier de la Petite Italie, elle rencontre un homme qui « ressemble à un savant fou » (p. 118) et qui lui conseille d'aller chercher ailleurs, dans le quartier des affaires, pour « la pêche au gros » (p. 118). Cette rencontre, si brève soit-elle, crée une zone de contact où le changement identitaire de Joyce est déclenché et qui influencera la marche de sa vie. En effet, c'est son premier pas dans la voie de la piraterie. Une deuxième rencontre, plus morbide celle-là, lui permettra d'exécuter véritablement sa mission de pirate. Dans un stationnement souterrain, « véritable caverne d'Ali Baba » (p. 235), elle trouve le cadavre d'une jeune femme dans un conteneur à déchets. Joyce prend la carte d'identité qui se trouve épinglée sur le chemisier de la défunte afin de l'utiliser comme fausse pièce d'identité pour ses activités de pirate informatique. Si Joyce possède déjà une boîte à chaussures pleine de fausses cartes d'identité, la rencontre avec la femme morte, Susie Legault, me semble décisive à cause de la ressemblance que Joyce constate entre son visage et celui qu'elle examine : « elle a l'impression de s'observer dans un miroir déformant » (p. 237). Si elle s'observe elle-même, le miroir reflète néanmoins une image modifiée et souligne la fausseté de ses nouvelles identités. Malgré cette tromperie inhérente à ses activités de piratage dans Internet, les fausses identités présentent, comme nous allons le voir, une étape nécessaire dans le processus d'émancipation de ce personnage. C'est l'espace liminaire du monde des déchets qui lui permet d'adopter ces identités, concrétisant pour ainsi dire l'invraisemblable. Il faut noter à cet égard le clin d'œil de l'auteur, qui semble souligner le caractère insensé de la découverte du corps de Susie Legault par Joyce : « [...] sans doute une employée jetée aux ordures à la suite de réductions de personnel » (p. 236). Si on ajoute ce commentaire au fait que le stationnement où se déroule l'événement ressemble à une caverne d'Ali Baba, l'espace liminaire est non seulement celui du dépotoir, mais aussi l'espace de l'imagination et de l'invraisemblance : celui de la fiction donc.

Grâce à son professeur d'archéologie Thomas Saint-Laurent, Noah est également attiré par les déchets. C'est ce professeur que Joyce rencontre au dépotoir de la Petite Italie et qu'elle qualifie de savant fou. En effet, Thomas Saint-Laurent, dont la spécialité est la fouille de dépotoirs, est loin d'être un universitaire conventionnel. Son grand principe, « tout est déchet » (p. 135), bouleverse la vision du monde du jeune Noah qui veut rédiger un mémoire de maîtrise sur l'expansion des dépotoirs au cours des années 1970, sous la direction de Saint-Laurent. Pourtant, le professeur l'assure que le comité d'évaluation n'acceptera pas un tel projet, et il conseille au jeune homme de travailler plutôt sur la préhistoire amérindienne. Dans ce cadre, Noah entreprend une fouille dans l'île Stevenson, une île déserte de la Basse-Côte-Nord, où « le défi consiste à reconstruire l'identité et le mode de vie » des peuples qui y ont vécu « à partir des minuscules déchets qui jonchent le paysage » (p. 182).

Ce travail d'excavation lui permet de chercher les traces non seulement de peuples sédentaires mais aussi celles, plus rares, de peuples nomades. Dans l'isolement de cette île inhabitée, il s'enfonce dans un passé lointain. Ainsi, loin de la civilisation contemporaine, il découvre d'autres civilisations plus anciennes. Pourtant, malgré des réflexions comme « mille ans plus tôt un vieux nomade s'est couché dans ce cercle de cailloux » (p. 182) ou « il y a mille ans, un pot de terre cuite est tombé au sol » (p. 183), Noah ne se perd pas entièrement dans son travail. Ces quatre mois d'isolement constituent, à mon avis, une étape nécessaire dans le développement de ce personnage : à son retour, « il constate que le monde n'a pas changé » (p. 198) et, pour la première fois, il sent le besoin de partir, de découvrir l'ailleurs, même s'il ne sait pas encore où il veut aller : « Noah pense au Pacifique Sud. Il aimerait être ailleurs, mais il n'a aucune idée où » (p. 198). Dans le processus d'émancipation de Noah, l'île Stevenson représente en effet un espace liminaire ; l'éloignement et la solitude que lui offre ce lieu le font rêver de lieux encore plus reculés.

Si la mer n'est pas explicitement nommée dans le cadre du séjour à l'île Stevenson, l'élément maritime est, comme dans le cas de Joyce, essentiel dans la vie de Noah. Dans sa jeunesse, c'est justement l'absence de la mer qui caractérise son environnement. Après le départ de Jonas Doucet en direction de l'océan Pacifique, la mère de Noah, Sarah, se tient loin de la grande bleue ; elle préfère la terre ferme sur laquelle elle conduit sa roulotte. Rien d'étonnant à ce qu'elle se méfie de la décision de Noah de poursuivre ses études à Montréal, « jalon de la voie maritime du Saint-Laurent ». Sarah se contente de marmonner un seul mot, mais avec mépris : « – Une *île*... » (p. 48). Dans cette île, Noah acquiert son autonomie : il se détache de sa mère en allant vers une autre mer.

C'est effectivement dans une troisième île – l'île Margarita dans l'océan Pacifique – que son émancipation est parachevée. Après son aventure à l'est du pays, près de l'Atlantique, il est prêt à découvrir l'océan qui a toujours attiré son père absent. Il est néanmoins remarquable que Noah ne s'y retrouve pas de son propre chef, mais grâce à sa petite amie Arizna, d'origine vénézuélienne et la mère d'un fils né neuf mois après qu'elle eut quitté Noah[7]. Il habite l'immense maison familiale d'Arizna dans l'île Margarita et prend soin de l'enfant, tandis qu'elle dirige une maison d'édition, organise des conférences et voyage en Amérique du Sud. Cette île, la perle des Caraïbes, est la zone de contact où il met pour la première fois les pieds sur une plage et où il découvre son identité, « le regard perdu dans la mer » (p. 245). La rencontre avec l'eau est essentielle dans cet espace liminaire; grâce au « bruit monotone des vagues […] », Noah entre dans « un état second, propice à l'élaboration d'histoires délirantes qu'il racontera à Simón le soir même » (p. 245). Sa vraie vocation n'est pas d'être archéologue, mais d'être conteur. Il raconte des histoires, il invente des fables, tout en prétendant étudier les archives coloniales de l'île afin de rédiger une thèse sur l'histoire du peuple indigène, les Garifunas. C'est en fait ce prétexte qui l'incite à inventer des fables, car la plupart des documents historiques ont disparu lors de la guerre d'indépendance. Noah crée donc cette histoire, en se liant d'amitié avec le directeur des archives, Bernardo Báez. Cette deuxième rencontre dans l'île est essentielle car, tout en sachant la vérité sur Noah, Bernardo ne remet pas en question son comportement. Ce personnage assure l'authenticité de Noah et c'est dans cette atmosphère insulaire d'isolement et de sécurité que celui-ci apprend à s'accepter.

Pour souligner l'ampleur de la métaphore de la mer dans *Nikolski*, j'insiste sur l'ouverture du roman, où le narrateur, en se réveillant dans le bungalow de sa mère, entend par la fenêtre « le rythme monotone des vagues qui déferlent sur les galets » (p. 9) quoique l'habitation se trouve à Châteauguay, loin de la mer. Même si le narrateur n'a « jamais mis les pieds sur une plage » (p. 10), il propose une rêverie sur la « signature acoustique particulière » de chacune. De plus, la boussole de son enfance rappelle l'image séduisante de la mer : « l'instrument glorieux avec lequel j'avais traversé mille océans imaginaires » (p. 17). Il est évident que « les trois personnages sont habités par la mer » (Proulx, 2009 : 9)[8]; la mer meuble leur imagination, mais elle fait aussi partie de leur réalité quotidienne

---

[7]   Même si Arizna refuse de confirmer que Noah est le géniteur, celui-ci assume volontiers sa paternité auprès de l'enfant, Simón.

[8]   Dans son mémoire de maîtrise *La représentation de l'espace contemporain et le statut de l'écrit dans* Nikolski *de Nicolas Dickner*, Candide Proulx montre aussi que « l'immensité de la mer s'oppose à l'omniprésence de biens matériels souvent superflus, toujours jetables » (2009 : 9).

et elle est, comme nous l'avons vu, un facteur indispensable dans le processus d'émancipation des personnages[9].

La liminalité des espaces familiers

L'élément liquide est mis en rapport avec des lieux fixes, qui peuvent également se présenter comme des espaces liminaires : ce sont les chambres et les appartements des protagonistes. Ainsi, lors de la première nuit où Noah essaie de trouver le sommeil dans sa chambre à Montréal, qui est « aussi vaste que tout l'espace habitable de la vieille roulotte » (p. 94), il a l'impression d'être « [c]ouché dans les étoiles de mer » (p. 95). Ici, c'est l'étendue de l'espace qui lui donne l'impression de nager dans une mer infinie. Dans cet endroit, il continuera pour ainsi dire à flotter, car il y passera de nombreuses nuits blanches : « les nuits d'étude, les nuits de canicule, [...], les nuits d'anxiété, les nuits d'épidémie, les nuits où il pensait à son père, les nuits où il essayait d'imaginer Nikolski [...] » (p. 313). La chambre de Noah est un espace liminaire où il doit faire face à ses propres angoisses. Même s'il se sent pour la première fois chez lui dans la ville de Montréal, l'inquiétude qu'il éprouve entre les murs de son logement souligne que son voyage ne fait que commencer.

Joyce, au contraire, se sent immédiatement à l'aise dans son appartement de une pièce et demie : « Joyce inspecte la pièce avec un sourire béat, aveuglée par la simple perspective de posséder sa petite île de Providence personnelle » (p. 88). Dans cette île, elle se construit un univers virtuel à l'intérieur duquel elle se consacre à sa carrière de pirate. Les ordinateurs la gardent en contact en fait avec le monde extérieur parce qu'ils « remplacent les voyages véritables par des déplacements cybernétiques » (Bell, 2009 : 48). Au moment où ses pratiques illégales sont découvertes, elle est obligée de quitter son île, qui sera envahie par des forces extérieures. Après son départ, l'appartement se caractérise avant tout par un « impressionnant désordre » (p. 299), où s'activent plusieurs agents. Joyce a abandonné ce lieu ; la fenêtre grande ouverte témoigne de sa fuite. Elle a emporté cette « odeur de mer » que répandaient les plats de poisson et qui rappelaient évidemment la cuisine de la maison de son

---

[9]   Isabelle Boisclair parle de la métaphore structurante du monde marin : « ce monde, où l'espace est ouvert, la mobilité non contrainte, suggère ainsi l'immense infini de possibilités qui s'offre à chacun.e quant au choix du lieu où mener sa vie – où mener sa barque » (2008 : 283).

père. Il apparaît clair que les ordinateurs conservés dans cet endroit fixe
« sont un outil qui déclenche son véritable voyage » (Bell, 2009 : 48). En
effet, dans l'espace liminaire de l'informatique naît le désir de partir pour
de vrai : la jeune femme quitte son île personnelle pour traverser la mer
et aller s'aventurer aux Caraïbes, « un lieu de rêve longtemps associé à ses
ancêtres flibustiers » (Bell, 2009 : 48).

L'unique rencontre entre Joyce et le narrateur-libraire a lieu la veille
du départ de la jeune femme. Ils prennent rendez-vous dans l'appartement
de ce dernier, parce que la jeune femme a besoin de guides de voyage ;
ce genre de livres n'est guère disponible à la librairie que fréquente
habituellement Joyce. Si les logements de Noah et de Joyce représentent
avant tout, comme nous l'avons vu, des espaces liminaires qui préparent
les protagonistes à des voyages outre-mer, l'appartement du narrateur
est un bel exemple d'une zone de contact où, dans une situation qui
rappelle de nouveau l'air marin, les protagonistes se rapprochent sans se
reconnaître. Cette rencontre, narrée selon la perspective du je anonyme,
lui permet de raconter son histoire : il lui parle de sa mère qui travaillait
dans une agence de voyages, mais qui préférait les guides de voyage aux
voyages eux-mêmes, de son père qu'il n'a pas connu et des lettres de ce
dernier qui ont disparu. Le narrateur est sensible aux liens qui existent
entre eux, mais qui restent implicites. La douce ironie avec laquelle est
décrite son intuition – « Elle ressemble à mon double féminin, une sorte
de cousine débarquée de nulle part » (p. 277) – est encore renforcée
lorsque « l'instrument qui témoign[e] de leurs liens de parenté » (Bell,
2009 : 46), à savoir le compas Nikolski[10], tombe et disparaît dans une
bouche d'aération. Comme ils sont le fils et la nièce de Jonas Doucet,
Joyce et le libraire sont effectivement des cousins germains, mais la
disparition du compas symbolise la non-révélation de cette relation
familiale. Ils descendent néanmoins au sous-sol pour chercher l'objet
disparu, et, comme la pompe du drain a lâché, la métaphore de l'eau
s'impose une fois de plus : en cherchant, ils baignent dans l'eau glacée,
ils plongent « dans la pénombre avec des démarches de scaphandriers »
(p. 272). En vrais chercheurs de trésors, ils avancent à tâtons comme
des scaphandriers fouillant les épaves d'un bateau[11]. Au lieu du compas,

---

[10] Ce compas est un cadeau de son père absent et pointe vers Nikolski, minuscule village
      dans une île des Aléoutiennes où celui-ci s'est probablement installé.
[11] Voir l'article de Kirsty Bell (2009), pour une étude approfondie de ce thème.

le narrateur retrouve le « Livre sans tête » – objet tant énigmatique que primordial dans l'intrigue de *Nikolski* et sur lequel je reviendrai dans la partie suivante –, livre qui attire l'attention de Joyce à cause de l'histoire de deux femmes pirates.

Cette rencontre, dans une atmosphère d'intimité et de confiance, permet au narrateur de parler de son enfance. C'est notamment grâce aux objets qui lient les deux personnages que s'intensifie une conversation personnelle au cours de laquelle le narrateur arrive, pour la première fois depuis le décès de sa mère, à s'exprimer sur sa vie intime. Symboliquement, et après quelques verres de rhum jamaïcain, il se « laisse tomber tête première dans la mer de Béring » (p. 284), une plongée qui ressemble à une noyade, mais d'où il sortira purifié.

C'est que la rencontre inattendue avec Joyce bouleversera la vie du narrateur : à l'instar de son demi-frère et de sa cousine, il partira à l'aventure. Après des années de sédentarité, le libraire prend la décision de tout quitter. En effet, ses « aventures de l'imagination » se transforment en « véritables périples » (Bell, 2009 : 46)[12]. Joyce profite également du rendez-vous, car le guide de voyage sur la République dominicaine que le narrateur lui prête est pour elle une sorte de trésor qui donne prise à son voyage et qui l'accompagnera. Ce n'est qu'après son rendez-vous avec le narrateur qu'elle est prête à partir.

Le dernier espace familier qui doit être mentionné est la bibliothèque universitaire, et notamment la section V, celle des « Sciences navales, récits de voyage et serpents de mer » (p. 143), lieu que préfère Noah aux autres sections car, dans l'atmosphère tranquille, « on est libre de rêvasser en regardant le plafond, de gribouiller des poèmes [...] » (p. 143). Cet espace où règne le silence se présente aussi comme une zone de contact, lieu de rencontre avec la fille vénézuélienne Arizna, qui deviendra son amie, mais qui se caractérise, en premier lieu, par une confrontation entre les deux personnages : un beau jour, la fille s'est installée à la table d'acajou où Noah « a fait son havre » (p. 144), tandis que tout l'étage est disponible. Au moment où Noah décide d'engager le combat en prenant également

---

[12]   D'après Kirsty Bell, c'est notamment la perte du compas, et par conséquent la distanciation par rapport au père, qui fait naître, chez le narrateur, le désir de partir en voyage. Sans vouloir négliger cet aspect important, je préfère souligner ici l'effet créé par la rencontre, aussi fortuite soit-elle, entre les deux protagonistes dans la zone de contact qu'offre l'appartement du narrateur.

place à la table, la zone de contact entre en vigueur. Le processus graduel par lequel des vies jusqu'ici séparées commencent à se mélanger illustre de façon exemplaire le fonctionnement de cette zone de contact. Elle doit, avant tout, être comprise en termes de territoire et de frontières qui se dissipent : « Peu à peu, les frontières de leurs territoires deviennent floues. Leurs livres s'entremêlent et une familiarité tacite se développe, faite de silence, de bruissements et de regards discrets » (p. 147). Après avoir voulu sauvegarder leurs espaces individuels, les personnages s'ouvrent à la sphère de l'autre, un mouvement qui peut également être considéré à un niveau plus général si l'on prend en considération l'objet d'étude d'Arizna. Sa fascination pour la population indigène du Québec, et surtout pour la question de leur relocalisation, met en évidence la problématique du fonds de terre et les conflits identitaires qui en découlent. À juste titre, Arizna fait remarquer que « [l]e territoire ne se mesure pas en kilomètres carrés » (p. 149) ; les ancêtres, les traditions et les liens familiaux déterminent aussi bien cette appartenance à un pays et, à plus forte raison, à une identité propre. En effet, « [l]e territoire, c'est surtout l'identité » (p. 150). Il me semble d'autant plus frappant que les deux personnages se sont justement libérés de ces traditions et de ces liens afin de pouvoir se déplacer sur n'importe quel territoire[13]. S'il existe des frontières dans leur vie, ce sont des limites dont la traversée ne représente pas un défi mais « une porte qui s'ouvre » (Le Bel, 2008 : 160) et qui donne lieu à leur rencontre. C'est dans l'espace à la fois neutre et plein de réflexions de la bibliothèque que fusionnent leurs îles personnelles.

Dans cette partie, l'étude de plusieurs espaces familiers a montré de quelle façon la liminalité caractérise les logements des protagonistes, qui se présentent comme des îles personnelles où ils sont confrontés à eux-mêmes. À un certain moment, ils doivent quitter ce lieu d'isolement pour entreprendre leur voyage dans le monde. Cette nouvelle étape se produit grâce à la rencontre entre deux personnages dans des zones de contact qui, après avoir suscité un sentiment de malaise, deviennent des espaces d'intimité.

---

[13] Dans son article « Métaphore de la piraterie et mobilité métropolitaine dans le Montréal de *Nikolski* », Pierre-Mathieu Le Bel souligne que l'identité des personnages nous « est fournie par la figure du pirate ou de ses variantes : téméraire, libre, seul » (2008 : 164).

Un univers gouverné par les livres

La quantité de livres et d'autres documents dans le roman – des cartes routières et maritimes, un article du *National Geographic*, des guides de voyage, des articles de journaux ou des lettres et des cartes postales – signale la valeur du texte écrit en tant que document historique et, qui plus est, comme objet emblématique. Les textes et documents constituent des points d'ancrage – dans un sens littéral pour ce qui est des cartes, et dans un sens métaphorique dans beaucoup d'autres cas – parce qu'ils unissent les personnages. L'exemple le plus évident est « le Livre sans visage » (p. 38), livre sans couverture, que le narrateur rebaptise « le Livre à trois têtes » (p. 175) lorsqu'il découvre que ce volume se compose d'ouvrages différents et incomplets qui ont été reliés ensemble.

Comme l'ont souligné plusieurs chercheurs[14], ce volume mystérieux rattache les trois protagonistes de différentes façons : à travers le contenu et la forme du livre, et grâce au fait que, après des périples fantastiques, il tombe dans les mains de chacun d'entre eux. C'est un cadeau que Noah a reçu accidentellement de son père absent parce que celui-ci l'a oublié chez sa mère, et qu'Arizna laisse dans la librairie du narrateur, qui le retrouve plus tard dans son sous-sol lorsqu'il est en compagnie de Joyce. Quant au contenu, les histoires des trois ouvrages différents renvoient respectivement à Noah, à Joyce et au narrateur : la première histoire est une « monographie sur les îles aux trésors » (p. 175), la deuxième présente « un traité [...] sur les pirates des Caraïbes » (p. 175) et la dernière, une biographie d'un « naufragé sur une île déserte » (p. 175). En ce qui concerne la forme, les trois personnages sont liés par le sang comme les différentes parties du livre le sont par une reliure[15]. De plus, le Livre à trois têtes est « l'ultime métaphore autoreprésentative » (Boisclair, 2008 : 283)[16] : une intervention de l'auteur commente la situation des personnages, le roman lui-même et la position de l'auteur : « Cet énigmatique bouquin rassemble [...] trois destins jadis éparpillés [...]. Reste à savoir quel esprit tordu aura songé à opérer une telle fusion, et dans quel but » (p. 175). Ainsi, « la façon qu'on a de raconter des histoires » (Langevin, 2009 : 184) est remise en question de manière critique et ludique à la fois. Pas

---

[14]   Voir, par exemple, les articles de Christine Otis (2009) et de Kirsty Bell (2009).

[15]   Voir aussi l'article de Christine Otis (consulté en ligne).

[16]   Voir, à cet égard aussi, l'article de Kirsty Bell (2009 : 47).

plus que les trois récits constituant le Livre à trois têtes, aucun récit de *Nikolski* « n'exerce d'ascendant sur un autre » (Langevin, 2009 : 184). Par conséquent, le lecteur fait face à un manque d'autorité narrative qu'il doit combler à l'aide d'autres indices traversant les différents univers fictionnels du roman[17].

En raison de son amalgame de fragments, Kirsty Bell considère l'ouvrage énigmatique comme une sorte de collection hétérogène faisant preuve de « la volonté hétérotopique dans le roman » (2009 : 45). Comme le Livre à trois têtes participe en effet à « une représentation paradoxale de divers espaces qui sont à la fois possibles et étonnants, associés, et inversés » (Bell, 2009 : 45), il me semble pertinent d'insister sur le rôle que joue l'objet dans l'intrigue et d'examiner l'influence qu'il exerce sur les protagonistes. Tout d'abord, ce livre symbolise la liberté et l'indépendance des protagonistes : « ayant une genèse *bâtarde* » (Boisclair, 2008 : 283), le livre n'est pas entravé par des liens permanents. De plus, il a « connu un itinéraire peu probable » (Bell, 2009 : 47) qui se caractérise par l'absence d'un propriétaire permanent. Si ce mouvement propre à l'existence du volume est en grande partie déclenché par le hasard, il ne permet pas moins d'influencer la vie des protagonistes et de les relier entre eux. Ce livre sans identité est au fond représentatif du rôle potentiel de chaque livre, qui est de fonctionner comme une zone de contact où se rencontrent les lecteurs. En témoignent les livres d'occasion dans la librairie et les livres de Noah et d'Arizna qui s'entremêlent dans la bibliothèque ; ils voyagent tous d'un lecteur à un autre, créant ainsi un contact à l'insu des lecteurs.

Finalement, le livre n'illustre pas uniquement la vie indépendante des personnages, il représente également leur caractère insaisissable. En effet, l'énigme du volume n'est pas levée, même si, à la fin du roman, la carte qui manquait encore est restituée au livre. Comme le fait remarquer le narrateur, ce qui a l'air d'être la « dernière pièce d'un casse-tête » (p. 322), se révèle une « découverte qui contribue à obscurcir la question plutôt

---

[17]   Pour une étude détaillée de l'organisation narratologique dans *Nikolski*, voir la thèse de doctorat de Francis Langevin, *Enjeux et tensions lectorales de la narration hétérodiégétique dans le roman contemporain*, Rimouski, Université du Québec à Rimouski ; Villeneuve d'Ascq, Université Lille-3 (sous la direction de Frances Fortier et Yves Baudelle), 2008. Disponible en format numérique dans la base ProQUest Dissertations.

qu'à l'éclaircir » (p. 322). Il en est de même pour les protagonistes, dont les décisions et les délibérations restent, pour une grande part, inconnues. Noah et le narrateur se libèrent du seul objet qui les rattache à leur père, le premier intentionnellement, en laissant le volume dans la librairie, le second par accident, en perdant son compas Nikolski. Il est clair que le Livre à trois têtes comme le compas jouent un grand rôle dans la vie des protagonistes, mais ces derniers ne se montrent pas peinés, ni d'ailleurs soulagés, de s'en être débarrassés. Comme Joyce, ils ont perdu chaque rapport tangible avec le passé, et, par conséquent, ils se retrouvent tous « en territoire vierge » (p. 25). En explorant ce territoire, ils semblent tous les trois attirés par un même lieu, la librairie. C'est en effet le seul espace que partagent les trois protagonistes. Joyce est une cliente habituelle et, à la fin du roman, on y rencontre aussi Noah et son fils. Le narrateur fait en quelque sorte partie de ce lieu « à l'allure d[e] dépotoir ou d[e] site archéologique » (Bell, 2009 : 51), mais qui remet en question la classification : le système de classement non informatisé de la librairie apparaît comme une « complexe cartographie qui repose essentiellement sur la mémoire visuelle » (p. 22). La compréhension des choses dépasse, pour ainsi dire, la catégorisation. De plus, le libraire y apprécie le « silence qui incite à la méditation » (p. 21). À part un site archéologique ou un dépotoir, la librairie est également une île de refuge, un monde qui permet à chacun d'entrer et de sortir sans obligation. Cet « univers entièrement composé et gouverné par les livres » (p. 24), où l'on peut se dissoudre, est donc un espace liminaire où semblent se rencontrer les autres espaces jugés essentiels au développement des protagonistes, et qui devient une zone de contact par excellence, une zone où les rencontres fortuites ne mènent pas à des relations permanentes, mais contribuent à l'émancipation de chaque individu.

Les processus d'émancipation que vivent le narrateur, Noah et Joyce se présentent clairement comme des rencontres entre de multiples histoires, divers points de vue et des expériences variées. Comme nous l'avons vu, leurs « identités en projet » (Boisclair, 2008 : 285) passent par plusieurs stades grâce à des espaces liminaires qui sont des lieux de transition. Dans l'espace familier de leur logement, les personnages non seulement se créent des îles personnelles qui les protègent du monde extérieur, mais ils y sont aussi confrontés à eux-mêmes : de ce rapprochement naît le désir de partir. C'est dans les lieux marginaux ou isolés, « hors du monde officiel » (Le Bel, 2008 : 162) – dépotoirs, îles – que se manifeste la vraie vocation et où une nouvelle identité peut être adoptée. Le processus d'émancipation s'accomplit lorsqu'un espace liminaire devient une zone de contact : ce n'est qu'après la rencontre fortuite avec un autre personnage que les protagonistes partent vers d'autres horizons. Ce départ n'est pas toujours le résultat d'une décision délibérée, mais le voyage qui s'ensuit illustre la mobilité permanente des héros et de l'héroïne.

Leur transformation est motivée par un grand nombre de métaphores et d'objets symbolisant leur développement. La métaphore marine est omniprésente et offre aux protagonistes une « mobilité non contrainte » (Boisclair, 2008 : 283) menant vers des espaces infinis. Ce n'est qu'après avoir traversé l'océan le plus vaste du globe – l'océan Pacifique – qu'ils peuvent vraiment se libérer de toute contrainte. Afin d'être en mesure de se risquer dans cette aventure, les protagonistes ont toutefois besoin d'une certaine connaissance du monde. C'est la métaphore de la chasse aux trésors, ou de la piraterie, qui garantit cette phase dans leur développement. Les fouilles – tant les recherches archéologiques que l'étude des ouvrages scientifiques ou l'exploration des dépotoirs – donnent lieu à des voyages imaginaires et virtuels, qui préparent aux voyages physiques.

La métaphore de la chasse aux trésors est également pertinente pour décrire l'interprétation du roman : au cours de la lecture, il faut en deviner « les énigmes quitte à parfois rebrousser chemin afin de se réorienter » (Bell, 2009 : 54). Ainsi, l'attention est à chaque fois attirée sur la fiction elle-même qui, grâce aux interventions de l'auteur et aux commentaires métatextuels, apparaît – tout comme les dépotoirs, les îles, les appartements, la bibliothèque et la librairie – comme un espace liminaire. C'est dans cet espace de l'imagination et de l'invraisemblance que se créent les zones de contact stimulant les processus d'émancipation et d'indépendance.

Il en résulte un roman extraordinaire qui, dans la tradition des grands auteurs québécois comme Michel Tremblay et Jacques Poulin, s'inscrit dans l'imaginaire de l'Amérique canadienne-française[18]. Identité, voyage, changement et liberté : c'est grâce à des périples inattendus et à des rendez-vous fructueux que ces éléments primordiaux du roman québécois contemporain se rencontrent et se transforment dans *Nikolski*.

---

[18]   Voir, à cet égard, l'article de Jean Morency (2008).

BIBLIOGRAPHIE

BELL, Kirsty (2009). « Collectionneurs et chasse aux trésors dans *Nikolski* de Nicolas Dickner », *Québec Studies*, vol. 47 (printemps-été), p. 39-56.

BIRON, Michel (2005). « De la compassion comme valeur romanesque », *Voix et Images*, vol. XXXI, n° 1 (91) (automne), p. 139-146.

BOISCLAIR, Isabelle (2008). « Trois poissons dans l'eau : les (non-)relations familiales dans *Nikolski* de Nicolas Dickner », dans Murielle Lucie Clément et Sabine van Wesemael (dir.), *Relations familiales dans les littératures française et francophone des XXe et XXIe siècles : la figure du père*, Paris, L'Harmattan, p. 277-285.

BOISCLAIR, Isabelle, et Lori SAINT-MARTIN (2009). « Masculin / féminin chez les romanciers québécois contemporains : l'idée de différence entre maintien et renouvellement », *Contemporary French and Francophone Studies*, vol. 13, n° 1 (janvier), p. 45-54.

DICKNER, Nicolas (2005). *Nikolski*, Québec, Éditions Alto.

LANGEVIN, Francis (2008). *Enjeux et tensions lectorales de la narration hétérodiégétique dans le roman contemporain*, thèse de doctorat, Rimouski, Université du Québec à Rimouski ; Villeneuve d'Ascq, Université Lille 3 (sous la direction de Frances Fortier et Yves Baudelle).

LANGEVIN, Francis (2009). « Artéfacts de l'autorité narrative dans trois romans québécois contemporains : *Nikolski* de Nicolas Dickner (2005), *Hier* de Nicole Brossard (2001) et *L'Immaculée conception* de Gaétan Soucy (1994) », dans Claude La Charité *et al.* (dir.), *Lettres et théories : pratiques littéraires et histoire des idées,* Rimouski, Tangence éditeur, p. 175-184.

LE BEL, Pierre-Mathieu (2008). « Métaphore de la piraterie et mobilité métropolitaine dans le Montréal de *Nikolski* », *Études canadiennes = Canadian Studies*, n° 46, p. 159-165.

MORENCY, Jean (2008). « Dérives spatiales et mouvances langagières : les romanciers contemporains et l'Amérique canadienne-française», *Francophonies d'Amérique*, n° 26 (automne), p. 27-39.

OTIS, Christine (2009). « Le jeu des coïncidences : une vraisemblance à construire : les exemples de *Nikolski* de Nicolas Dickner et de *La kermesse* de Daniel Poliquin », *Temps zéro : revue d'étude des écritures contemporaines*, n° 2, [En ligne], [http://tempszero.contemporain.info/document398] (26 novembre 2010).

PRATT, Mary Louise (1991). « Arts of the Contact Zone », *Profession 91*, New York, MLA, p. 33-40, [En ligne], [http://www.class.uidaho.edu/thomas/English_506/Arts_of_the_Contact_Zone.pdf] (26 novembre 2010).

PROULX, Candide (2009). *La représentation de l'espace contemporain et le statut de l'écrit dans* Nikolski *de Nicolas Dickner*, mémoire de maîtrise, Département d'études littéraires, Université du Québec à Montréal.

TURNER, Victor (1969). *The Ritual Process: Structure and Anti-Structure*, London, Routledge & Kegan Paul LTD.

TURNER, Victor (1979). *Process, performance, and pilgrimage: a study in comparative symbology*, New Delhi, Concept Publishing Company.

VAN GENNEP, Arnold (1960). *The Rites of Passage*, London, Routledge.

Le Dernier des Franco-Ontariens :
la rencontre entre un livre et un film

Lucie Hotte*

Université d'Ottawa

L A LITTÉRATURE SE RÉVÈLE une source d'inspiration constante pour les cinéastes – tant hollywoodiens que ceux qui réalisent des films artistiques – qui l'« adaptent » pour le septième art. Selon Andrée Mercier, « [l]e processus d'adaptation désigne sans nul doute l'un des rapports privilégiés entre le cinéma et la littérature. On peut le dire privilégié, ajoute-t-elle, en ce qu'il constitue l'une des manifestations les plus importantes sinon d'une connivence réelle, du moins d'une influence certaine entre ces deux arts du récit » (1999 : 9). Certains corpus apparaissent propices à l'adaptation cinématographique tel celui des grands romans réalistes. Pensons à *Madame Bovary,* de Gustave Flaubert, ou à *Bonheur d'occasion,* de Gabrielle Roy. D'autres semblent, au contraire, beaucoup plus difficiles à mettre en images. C'est le cas notamment de la poésie. Jean Marc Larivière, cinéaste franco-ontarien, a pourtant réalisé des films à partir de poèmes ou de recueils de poésie. Il a mis en images et en musique un très beau poème de Robert Dickson dans un court film d'art intitulé *Sur le bord.* Il a aussi réalisé, avec la collaboration de la scénariste Marie Cadieux, à partir du recueil du poète franco-ontarien Pierre Albert, *Le Dernier des Franco-Ontarien*s, un long métrage qui porte le même titre. L'expression « long métrage » est utilisée ici, même si le réalisateur le désigne comme un documentaire, puisqu'il ne semble y avoir aucun terme mieux adapté pour décrire ce film hybride, qui comporte des séquences de « déclamation[1] » d'extraits du recueil, des entrevues, des

---

* J'aimerais remercier Alexandre Gauthier, qui a été mon assistant de recherche lors de la conception de cet article. Il a beaucoup contribué à la réflexion. Je le remercie particulièrement pour l'idée d'« esthétique de la courtepointe » qu'il m'a suggérée lors de la rédaction d'une communication sur le même sujet.

[1] Bien que ce soit la voix de Pierre Albert qui porte les passages provenant de son recueil, celui-ci ne les lit ni ne les récite de mémoire; en fait, toutes les bribes tirées

scènes quasi féériques, des prestations d'auteurs qui ont été invités à écrire un texte pour ce film qui échappe à toute catégorie traditionnelle. Le film est donc éclectique : certaines parties sont fictives, d'autres ancrées dans la réalité, certaines sont adaptées du texte d'Albert, d'autres sont la création du réalisateur Jean Marc Larivière et de la scénariste Marie Cadieux. Une telle construction pose nécessairement des problèmes particuliers de réception puisque le spectateur doit non seulement être en mesure de distinguer réel et fiction (quoiqu'on puisse se demander si cela est vraiment une nécessité), mais il doit aussi pouvoir construire une lecture du film sans nécessairement connaître le texte littéraire dont celui-ci s'inspire. Ainsi, la rencontre entre le film et le spectateur est aussi originale que celle qui a lieu entre le film et le livre. Afin d'analyser ce film étonnant, percutant et fascinant – lieu de rencontre entre plusieurs pratiques artistiques, et non pas exclusivement, bien que surtout, entre poésie et cinéma –, nous examinerons d'abord les liens qui l'unissent au recueil éponyme de Pierre Albert. Dans un deuxième temps, nous analyserons plus à fond sa structure afin de pouvoir cerner les problèmes de réception qu'il suscite en en traçant le parcours de spectature[2], c'est-à-dire en examinant l'interaction qui prend forme entre le film et le spectateur.

La reprise du *Dernier des Franco-Ontariens* (le recueil) par *Le Dernier des Franco-Ontariens* (le film)

Le Dernier des Franco-Ontariens est une œuvre cinématographique parti-culière en ce qu'elle se situe à mi-chemin entre la fiction et le docu-mentaire. Le film n'est donc pas une adaptation à proprement parler du livre d'Albert. En effet, il ne correspond pas à la définition générale du terme, selon laquelle l'adaptation désigne la transposition d'une œuvre, son passage d'un mode d'expression à un autre. Andrée Mercier signale que « [c]e processus implique plus exactement l'existence de deux œuvres ou objets, une œuvre de départ et une œuvre d'arrivée qui se

---

du recueil ont été modifiées, coupées ou allongées par collage, comme nous le verrons plus loin.

2   Voir Lefebvre, 2007. Nous n'aborderons toutefois pas ici ce que Martin Lefebvre nomme « la figure » et qui constitue le cœur de cet article. Il n'en demeure pas moins que Lefebvre y fait aussi le tour du concept de « spectature ».

présente comme l'adaptation de la première » (1999 : 11). L'adaptation présuppose donc la *reprise* de l'*histoire* qui serait transposée dans un autre médium. Elle constituerait une forme de ce que Gérard Genette appelle l'hypertextualité. Dans la grille genettienne, l'adaptation se situerait du côté de la transformation plutôt que de l'imitation. Rappelons brièvement ce sur quoi se fonde Genette pour établir cette distinction.

L'hypertextualité, telle que définie par Genette, désigne « toute relation unissant un texte B [qu'il appelle *hypertexte*] à un texte antérieur A [l'*hypotexte*] sur lequel il se greffe d'une manière qui n'est pas celle du commentaire » (1982 : 11-12). Ces rapports sont de deux ordres : l'imitation ou la transformation, selon le type d'éléments repris d'un texte à l'autre. Si l'histoire est reprise, il s'agit d'une transformation ; si c'est le type de récit qui est reproduit, il y a imitation. Dans l'hypertextualité, la reprise d'un texte par un autre n'est toutefois jamais exhaustive ou exacte : entre l'hypotexte et l'hypertexte s'inscrit toujours un écart, que Genette désigne sous le nom de régime. Il définit trois types de régime : le ludique, le satirique et le sérieux, qui, en utilisant des procédés d'intégration qui leur sont propres, permettent le métissage des textes. Ainsi, on retrouve du côté de la transformation, la parodie, le travestissement et la transposition, et, du côté de l'imitation, le pastiche, la charge et la forgerie.

Nous avons dit d'emblée que le film de Larivière n'est pas une adaptation du recueil bien qu'il se fonde sur celui-ci. Le générique d'ouverture de même que celui de la fin mentionnent d'ailleurs explicitement que le film a été inspiré par le livre. Dire que le film a été inspiré par le livre, c'est à la fois signifier une dette à son égard et un écart, puisque l'inspiration laisse une grande place à l'imagination, à la création et donc à la différence. Il y a là un premier indice nous incitant à y voir plutôt une transposition, qui est, selon Genette, « la plus importante de toutes les pratiques hypertextuelles » (1982 : 237). La transposition, dans la théorie genettienne, désigne les « transformations sérieuses » qui auraient pu être désignées par d'autres termes tels que « récriture, reprise, remaniement, réfection, révision, refonte… » (1982 : 36). Toutefois, le terme « transposition » a l'avantage, selon lui, grâce au préfixe *trans*, de marquer le passage d'un texte à un autre.

D'aucuns diront sans doute que le film de Larivière ressortit plutôt de l'intertextualité. Genette, on le sait, ne considère pas l'intertextualité comme une forme d'hypertextualité, mais plutôt comme une pratique

transtextuelle (l'hypertextualité en est une autre) et la limite, contrairement aux autres théoriciens de l'intertextualité, à trois pratiques littéraires : la citation, le plagiat et l'allusion. Cette définition restreinte est
due au fait que, pour lui, l'intertextualité se réduit à « une relation de
coprésence entre deux ou plusieurs textes, c'est-à-dire, éidétiquement
et le plus souvent, par la présence effective d'un texte dans un autre »
(Genette, 1982 : 8). Il faut donc que le texte soit repris littéralement
dans le texte second pour qu'il y ait intertextualité. Or cette définition
est loin de faire l'unanimité. Elle est même marginale parmi la multitude
de définitions proposées pour ce concept par les théoriciens. Et elles sont
effectivement nombreuses puisque chacun d'eux semble avoir la sienne ! Il
appert cependant que si l'intertextualité est un procédé d'écriture (écrire
d'après une autre œuvre), elle est aussi nécessairement un fait de lecture :
il faut que les liens entre les deux œuvres soient perçus par un lecteur, ou
ici un spectateur, pour que l'intertextualité prenne forme, et il faut que ces
liens servent de point d'ancrage à l'interprétation de l'œuvre. Concevoir
l'intertextualité « comme un rapprochement entre deux textes qui permet
d'expliciter, de lire le texte centreur, conduit à une redéfinition du terme »
(Hotte, 2001 : 81), qui désigne, dès lors, un procédé d'écriture qu'on ne
peut confondre ni avec l'« interdiscursivité » – soit la rencontre entre un
texte et divers types de discours sociaux – ni avec l'allusion, la citation, la
référence ou le plagiat, comme le fait Genette. En effet, l'intertextualité
fonde un mode de lecture particulier qui

> trouve à s'accomplir lorsque le lecteur infère une relation paradigmatique entre
> deux ou plusieurs textes. Cette relation peut alors être désignée par le terme
> d'intertextualité, à condition que celui-ci soit compris selon son acception
> stricte, opératoire : il désigne alors les rapports entre deux textes au niveau de
> leurs structures narratives globales (Hotte, 2001 : 82).

Or est-ce le cas dans le film de Larivière ?

Le recueil de Pierre Albert est convoqué dès le début du film. En effet,
la première phrase de la version filmique – « Qui vive ! » –, prononcée en
voix *off* par la danseuse, mais dont on ignore la provenance, reprend la
dernière phrase du recueil. Vie et mort s'y trouvent ainsi réunies, comme
dans l'annonce de la mort du roi et de la consécration du suivant : « Le
roi est mort. Vive le roi ! » De même, la séquence qui suit, dans laquelle
Pierre Albert « déclame » des extraits de son livre provenant des pages
18 et 29, inscrit irrémédiablement le film dans l'ombre du livre, bien
que ce dernier n'apparaisse matériellement dans les mains de l'auteur que

dans la séquence qui précède le générique final (lui-même suivi de deux autres séquences, comme si le film ne savait pas finir, voire « mourir »). La présence du poète dans le film ainsi que la mention de l'écriture dans l'extrait lu dans cette première séquence soulignent ce fait : « Le Dernier des Franco-Ontariens a débuté par l'écriture d'un livre[3] » (Larivière, 1996 : 2). En outre, cette séquence inaugurale aborde la thématique centrale du recueil, autour de laquelle s'élaborera aussi tout le film : l'extinction des Franco-Ontariens, symbolisée ici par l'incapacité supposée du Dernier des Franco-Ontariens à « sauver sa peau » : « Un jour, je ne sauverai pas ma peau ; j'essaierai simplement de mourir, si j'en suis capable… » (Larivière, « Séquence : Le musée », 1996 : 2). La suite de cette séquence est basée sur un deuxième extrait du recueil, qui porte sur le lien entre écriture et mise en images et réfère au vidéoclip plutôt qu'au cinéma. : « L'écriture se lira comme on visionne des vidéo-clips, pour ceux et celles qui ne savent plus lire, et ne sauront que voir[4] » (« Séquence : La cheminée », 1996 : 2), faisant ainsi allusion à la disparition éventuelle du livre. Pierre Albert – que le spectateur pourra identifier rétroactivement dans une scène[5] où il se présente[6] – est au centre du film, récitant intégralement ou en partie ses poèmes, dans un ordre qui ne correspond pas à celui du recueil. En fait, la plupart des scènes de « lecture », souvent en voix *off* pendant que des images apocalyptiques ou autres sont présentées, juxtaposent des extraits provenant de divers poèmes, qui reprennent un même thème ou une même trame narrative.

---

[3] « Séquence : Le musée ». Les références au film renvoient à la transcription inédite qu'en a fait le réalisateur après le tournage. Dans ce tapuscrit, les séquences sont titrées, certaines sont numérotées, mais la numérotation n'est ni constante ni exacte. Nous indiquerons donc à la fois le titre de la séquence, qui permettra aux lecteurs qui visionneront le film de la repérer, et la page du tapuscrit où se trouve l'extrait cité.

[4] Dans le recueil, ces vers se lisent comme suit : « *l'écriture du dernier des franco-ontariens se lira un peu comme / l'on visionne des vidéo-clips* » et « réaliser un vidéo-clip poétique / pour ceux qui ne savent pas lire, qui ne savent plus lire / qui n'ont jamais su lire, qui ne sauront jamais lire / seulement pour ceux qui ne savent que voir » (Albert, 1992 : 51, 60). Les italiques, ici comme ailleurs dans les citations du recueil, apparaissent dans le texte original.

[5] Certaines séquences sont découpées en scène ou en plans. Ici, dans la séquence « La cheminée », la caméra alterne entre des prises de vue (plans) de Pierre Albert qui gravit un long escalier et d'autres de Pierre Raphaël Pelletier qui arpente le sommet d'un mur en déclamant sa perception du dernier des Franco-Ontariens.

[6] « Je m'appelle Pierre Albert, 36 ans, Fauquier, mes racines, dans le vrai nord de l'Ontario » (Larivière, « Séquence : La cheminée », 1996 : 3).

Le film tire plus exactement sa source d'un poème dans lequel le poète souhaite la « *tenue d'un grand congrès ou la création d'une coalition, peut-être la publication d'un album-souvenir*... peut-être aussi l'organisation d'un grand gala, d'une performance, etc. » (Albert, 1992 : 51). Cet extrait, « cité » dès le début du film[7] dans la séquence intitulée « Pierre et le Spectre », explicite ce que le film mettra en scène : l'organisation de ce dernier *show*. Cette séquence se termine sur une citation d'André Paiement – dont la référence n'est pas donnée – : « Schizophrénie. Schizophrénie is what we be[8] » (Larivière, « Séquence 4 : Pierre et le Spectre », 1996 : 2), qui renvoie, selon l'interprétation généralement admise de l'œuvre du dramaturge sudburois, à la difficulté de vivre des francophones en Ontario. Peut-être s'agit-il aussi d'une référence voilée au suicide de cet écrivain franco-ontarien emblématique qui a bouleversé tout le milieu littéraire franco-ontarien, voire toute la communauté franco-ontarienne, en 1978, et dont Fernand Dorais en a attribué la cause à l'acculturation des Franco-Ontariens[9].

L'analyse de la structure du film permet de distinguer cinq types de séquences. D'abord, celles dans lesquelles Pierre Albert « déclame » ce qui semble être de prime abord des extraits de son livre, mais qui sont, en fait, des répliques construites à partir de vers du recueil coupés, collés ou réécrits. Ensuite, les séquences présentant des intervenants du milieu culturel franco-ontarien – qui ne sont pas identifiés par des titres surimprimés[10] –, soit François Paré et Pierre Raphaël Pelletier, qui parlent du recueil de Pierre Albert ou encore de la situation des Franco-Ontariens. D'autres séquences mettent en scène des écrivains franco-ontariens, dont Patrice Desbiens, Robert Marinier et Robert Dickson – qui ne sont pas non plus identifiés –, qui récitent des textes qu'ils ont été

---

[7]   Cette citation devient, dans le film : « Pour sa mort, le Dernier des Franco-Ontariens a souhaité la tenue d'un grand congrès, la publication d'un album-souvenir, peut-être l'organisation d'un grand gala ou d'un dernier show » (Larivière, « Séquence 4 : Pierre et le Spectre », 1996 : 2).

[8]   Cette citation apparaît également en exergue au recueil de Pierre Albert. Le livre est d'ailleurs construit sur un mode schizophrénique puisque deux voix y sont présentes : une dans le texte en caractère romain, qui s'exprime par les poèmes, l'autre dans le texte en italique, qui commente ironiquement les poèmes.

[9]   Cette interprétation du suicide de Paiement est, bien sûr, propre à Dorais (1984). Il n'en demeure pas moins qu'elle illustre un certain état d'esprit chez les Franco-Ontariens, celui du désespoir et de la crainte de la disparition prochaine.

[10]   *Superposition*, en anglais.

invités à écrire pour le film et dans lesquels ils dictent leur « testament ». Quatrièmement, on retrouve des séquences peuplées de personnages fictifs, dont le Spectre (Marcel Aymar), la Danseuse (Julie West), Nino le clown (Roch Castonguay) et la femme du Dernier des Franco-Ontariens (Paulette Gagnon). Les séquences qui sont consacrées à ces deux derniers personnages sont particulières. Selon Jean Marc Larivière[11], Castonguay et Gagnon ont été invités, comme Desbiens, Dickson et Marinier, à rédiger leur contribution au film. Cependant, ni Castonguay ni Gagnon ne sont des écrivains. Ni Castonguay ni Gagnon ne lisent ou plutôt ne déclament leur texte comme le font les trois écrivains. Ils incarnent les personnages qu'ils ont créés[12], à l'instar d'Aymar qui joue un rôle imaginé par Larivière et Cadieux.

Dans le cas de « la femme du Dernier des Franco-Ontariens », le personnage a un statut encore plus particulier, indéterminé en quelque sorte, pour le spectateur qui ne connaît pas ou ne reconnaît pas Paulette Gagnon, intervenante très active dans le milieu théâtral franco-canadien, mais rarement vue sur scène, contrairement aux comédiens Roch Castonguay ou Marcel Aymar. En effet, même si le générique de la fin inclut la participation de Paulette Gagnon et que son nom est un de ceux mentionnés lorsque l'on fait la publicité du « dernier show » dans les rues de Fauquier, il ne s'agit là que d'allusions rapides pouvant facilement échapper aux spectateurs. En fait, son nom même peut être inconnu du spectateur. De plus, Gagnon n'a pas le même statut que François Paré ou Pierre Raphaël Pelletier, car elle ne « joue » pas son propre rôle mais bien celui d'un personnage présent dans l'œuvre d'Albert, la femme du Dernier des Franco-Ontariens. Gagnon n'est pas non plus la femme de Pierre Albert dans la réalité, alors que visiblement l'homme qui incarne le « personnage » du père est le père de Pierre Albert, comme sa mère incarne « celui » de la mère ; et on suppose que les deux petites filles sont vraiment les siennes. Le père, la mère et les filles apparaissent d'ailleurs dans des séquences qui relèvent du documentaire et non pas de la fiction. En outre, le texte que Gagnon récite n'est pas tiré du recueil : elle l'a

---

[11]   Entretien privé avec le réalisateur, octobre 2009.

[12]   On pourrait toutefois voir aussi dans la prestation de Robert Marinier, dont le titre est « L'homme diapo », une « incarnation » du personnage du titre, puisque Marinier semble jouer le rôle du personnage éponyme. Cependant, puisque Marinier est un dramaturge et un comédien, cela n'est pas du même ressort que les prestations de Castonguay et de Gagnon.

écrit elle-même. Or, comme nous le disions, contrairement à Desbiens, Marinier et Dickson, elle n'est pas une écrivaine. Il s'agit donc ici d'un des moments où il devient impossible pour la majorité des spectateurs de déterminer s'il s'agit d'une séquence empruntée au livre ou d'un véritable entretien avec la « vraie » femme d'Albert. Rares seront les spectateurs qui sauront que le texte a été écrit par Gagnon. Ici la réalité rejoint la fiction, et les deux concepts deviennent difficiles à différencier. Enfin, cette femme entretient un rapport ambigu avec celle du recueil. Dans le livre, la femme du Dernier des Franco-Ontariens est présentée en ces termes : « mon anglaise, c'est d'abord une féministe / mais c'est d'valeur, les féministes aiment pas le sexe / c'qui pourrait nous sauver, c'est qu'elle est une anglaise / malgré elle » (Albert, 1992 : 31). La femme interprétée par Gagnon n'est pas anglaise, mais est à cheval sur deux langues, passant systématiquement du français à l'anglais (Larivière, « Séquence : La femme du Dernier », 1996 : 10). Elle s'en distingue aussi puisque, dans le film, nous sentons son engagement envers la cause franco-ontarienne même si elle s'en est peu à peu distanciée en quittant le Dernier. Dans le recueil, elle est plutôt associée au féminisme et toujours désignée comme « mon anglaise » ou « la féministe[13] ». Il n'est donc pas clair si la femme du film correspond à celle du recueil. Certes, la scène apparaît comme théâtralisée dans le film, ce qui incite à y voir un élément plus fictif que réel. Toutefois, l'ambiguïté, inhérente à l'ensemble du film, persiste pour quiconque n'a pas lu le livre, voire pour ceux qui l'ont lu mais ne l'ont pas en mémoire intégralement, et rend la réception problématique dans la mesure où nombre de spectateurs se demandent qui est exactement cette femme.

Modalités de la mise en images

Le film est donc un collage composé de poèmes de Pierre Albert, de textes écrits ou récités par des personnalités franco-ontariennes, de réflexions des parents de Pierre Albert (qui assurent un côté plus documentaire au film) et des paroles du Spectre, du Clown (le dernier clown, précise le générique) et de la Danseuse (appelée « la jeune femme » dans le générique), relevant entièrement de la scénarisation, c'est-à-dire de la fiction filmique et non de celle présente dans le livre. Examinons à présent

---

[13]   Voir Albert, 1992 : 29 et 41.

les séquences directement tirées du livre d'Albert afin de voir comment elles prennent forme dans le film.

Dans son article « Adaptation et transfictionnalité », Richard Saint-Gelais déplore le fait que les études sur l'adaptation relèvent de ce qu'il nomme « une *poétique de l'adaptation* » et s'intéressent davantage à l'analyse d'œuvres qui sont « la reproduction non pas d'une autre œuvre, mais de sa diégèse, voire de composantes plus fuligineuses comme son "atmosphère". Ce qui am[ène] à s'interroger sur ce qui perdure, ce qui se perd et ce qui s'ajoute d'une œuvre à son adaptation » (1999 : 243-244). Pour lui,

> les études sur l'adaptation sont bien souvent sous-tendues par une manière de fantasme, celui de l'équivalence, de la reprise parfaite d'un contenu qui se transférerait d'un médium à l'autre sans être altéré; fantasme dont on conviendra qu'il est irréalisable, mais qui travaille implicitement nombre d'attitudes à commencer par la déception par laquelle on accueille fréquemment les adaptations (1999 : 243).

Saint-Gelais soutient qu'il faut plutôt s'intéresser aux modes de migration d'éléments fictionnels d'une œuvre à une autre. Il s'agit moins de voir comment la diégèse est transposée dans un autre médium que d'étudier comment « des personnages ou des univers fictifs traversent les frontières qui sont censées séparer différentes œuvres » (1999 : 247).

Toutefois, afin d'étudier la migration d'éléments du recueil vers le film, il faut d'abord examiner la forme qu'elle adopte. Dans *Le Dernier des Franco-Ontariens* (le film), la poésie d'Albert n'est jamais transformée en récit, en des rôles et des dialogues qui seraient joués ou dits par des comédiens; elle est récitée par le poète lui-même, et, de ce fait, l'étude de la transposition visuelle du texte est donc peu intéressante. Ainsi, à part la séquence qui met en scène la femme du Dernier, le film ne fictionnalise ni ne dramatise le recueil d'Albert pour en faire un scénario qui serait joué par des comédiens. En conséquence, l'analyse portera plutôt sur les modifications qu'ont subies les extraits repris du recueil. Cette étude se révèle particulièrement intéressante puisque, outre le fait qu'elle permet de voir comment le film a été construit, elle met en lumière le message que proposent le film, le cinéaste et ses collaborateurs et son écart par rapport à celui du recueil.

D'abord, il importe de constater que les poèmes ne sont jamais présentés dans leur intégralité. Le cinéaste souscrit à une esthétique que l'on pourrait appeler « de la courtepointe » dans la mesure où certains vers, certaines phrases sont retirés de leur contexte original et mis ensemble pour former un nouveau texte qui possède sa propre perspective sur une même thématique. La séquence « Le village » illustre bien cette réécriture de la courtepointe poétique. Elle est constituée d'un amalgame de passages extraits des pages 35, 49, 76 et 63 du livre d'Albert :

> Un franco-ontarien, c'est une île à marée basse[14]. Le Dernier des Franco-Ontariens ne veut pas et n'essaie pas d'être franco-ontarien. Personne ne le regarde. Il est anonyme. Dès qu'il bouge, tous les regards lui disent qu'il est franco-ontarien[15]. Il n'en a plus pour bien longtemps, le Dernier des Franco-Ontariens. Il ne lui reste que l'humour[16].
>
> Mais nous sommes libres. Tous si libres. Mais de quoi ? Et nous nous taisons[17] (Larivière, « Séquence : Le village », 1996 : 6).

Le film ne transpose donc pas le recueil, mais en propose *une lecture* qui lui permet de se l'approprier et d'en donner une interprétation particulière par la juxtaposition de fragments épars tirés du livre.

À ce remaniement principal s'ajoutent également les transformations, mineures mais souvent significatives, du texte original. L'exemple le plus probant se trouve dans la séquence « L'escalier » qui, dans le film, adopte cette forme : « Le Dernier des Franco-Ontariens sait qu'on ne naît jamais franco-ontarien. Tout ce qu'il sait, c'est qu'on peut mourir franco-ontarien. Et qu'entre la naissance et la mort, il y a le doute » (Larivière, « Séquence : L'escalier », 1996 : 3). Ces vers, tirés de la page 87 du recueil d'Albert, qui en compte 96, ont subi une importante modification :

> il savait le dernier des franco-ontariens que l'on ne naissait jamais franco-ontarien / tout ce qu'il savait, c'est que l'on pouvait mourir franco-ontarien et qu'entre la naissance et la mort / toute la problématique franco-ontarienne s'est imposée à lui quand on lui a demandé, jeune adolescent, ce qu'il était… (Albert, 1992 : 87).

---

[14]   « un franco-ontarien, qu'est-ce que c'est un franco-ontarien ? / c'est une île sans fond dans l'océan USA, une île à marée basse » (Albert, 1992 : 35).

[15]   « le dernier des franco-ontariens / ne veut pas et n'essaie pas / d'être un franco-ontarien // personne ne le regarde / il est anonyme / dès qu'il bouge / dès qu'il veut prendre une gorgée / tous les regards lui disent qu'il est un franco-ontarien » (Albert, 1992 : 49).

[16]   « il n'en a plus pour bien longtemps / le dernier des franco-ontariens // il ne lui reste que l'humour » (Albert, 1992 : 76).

[17]   « *mais nous sommes libres / tous si libres / mais de quoi / et nous nous taisons…* » (Albert, 1992 : 63).

L'angle du doute qui est ajouté dans cet extrait du scénario est celui qu'exploite Larivière dans l'ensemble du film. Le doute est certes présent dans la poésie d'Albert et peut probablement expliquer la venue du Dernier des Franco-Ontariens, comme on parle de la venue du Messie ; toutefois, le recueil d'Albert se situe après la phase du doute, comme en témoigne l'usage du passé dans l'extrait cité, alors que, dans le film, le doute se vit au présent. Chez Albert, le Dernier des Franco-Ontariens ne doute pas ou plus de son identité. Il se sait différent du Québécois et du Français ; il comprend que sa culture est différente. Cette conscience identitaire est aussi présente, par moments, dans le film, comme le montre la séquence « Le Monument national », qui est, elle aussi, un collage de citations du livre :

> Le Dernier des Franco-Ontariens est tanné de lire ses textes franco-ontariens devant des salles vides, de chanter ses chansons franco-ontariennes devant des salles vides, de faire son théâtre franco-ontarien devant des salles vides[18]. C'est vrai. Un jour, le Dernier des Franco-Ontariens a sérieusement pensé déménager au Québec. À immigrer au Québec. Il savait qu'il pouvait pas y rester franco-ontarien. Il avait pas le goût de s'assimiler au Québec[19]. « Un jour », prédit le Dernier des Franco-Ontariens, « il y aura peut-être un dernier des québécois[20] » (Larivière, « Séquence : Le Monument national », 1996 : 5).

Le Dernier des Franco-Ontariens a donc pleinement conscience de sa situation. D'ailleurs, François Paré, quand il intervient dans le film, critique la vision négative contenue dans le recueil d'Albert :

> Je trouve toujours ton but, tout à fait… profondément vrai. Ça, je pense que c'est LA question, tu vois, qui a défini cette culture-ci depuis 25 ans. […] C'est une culture qui s'est définie par sa propre catastrophe finale. […] Moi, je cherchais dans cette espèce de vision catastrophique un espoir quelconque, une transformation. […] On est forcé de dire quelque chose. Et c'est intéressant, ça. Mais de juste dire : « Ah, misère, merde, je suis contre le mur. Je ne peux pas aller plus loin », je trouve que c'est pas suffisant (Larivière, « Séquence : Le barrage littéraire »,1996 : 6).

---

[18] « le dernier des franco-ontariens est tanné de lire ses textes franco-ontariens devant des salles vides, de chanter devant des salles vides, de faire du théâtre devant des salles vides, etc. » (Albert, 1992 : 78).

[19] « mais c'est vrai / un jour, le dernier des franco-ontariens a sérieusement / pensé déménager au Québec, à émigrer au Québec / mais il savait qu'il ne pourrait pas y rester en franco- / ontarien ; il n'avait pas le goût de s'assimiler au Québec… » (Albert, 1992 : 89).

[20] *« un jour, prédit le dernier des franco-ontariens / il y aura peut-être le dernier des québécois, etc. »* (Albert, 1992 : 68).

Or le film présente une vision moins pessimiste de la question parce qu'il se situe justement dans la période du doute et non dans l'après. En mettant en scène le dernier spectacle franco-ontarien, en récitant les divers testaments, mais aussi en invitant la population de Fauquier, village natal de Pierre Albert, à participer à cette célébration, le but n'est pas seulement d'affirmer que la situation du Franco-Ontarien est catastrophique, mais bien d'aller plus loin en provoquant chez lui une remise en question et un passage à l'action, à la transformation, celle qu'appelle François Paré.

Le film se veut donc un outil de conscientisation sociale. Mieux que la poésie, le cinéma peut jouer ce rôle puisqu'il est souvent plus accessible et plus explicite, car il est un art de la représentation, alors que la poésie tend souvent à une épuration du langage qui rend le texte plus hermétique. Par conséquent, même si, dans le recueil, le dernier spectacle franco-ontarien est évoqué et annoncé, dans le film, la réaction est immédiate puisque la population réelle du Nord de l'Ontario est confrontée, d'une certaine manière, à son apocalypse. Ceci est d'autant plus vrai que, dans le film, la question de la disparition des Franco-Ontariens sort de la fiction pour entrer dans le monde réel. Les « vraies » gens de Fauquier interviewés dans la séquence « La dernière arnaque » (Larivière, 1996 : 14-15), notamment la dame de l'épicerie ou encore celle de la taverne, ne veulent pas du dernier spectacle, ne veulent tout simplement pas que la culture franco-ontarienne disparaisse; pour eux, elle existe toujours : « Y'en a pas de Dernier des Franco-Ontariens parce qu'y'en a encore. C'est pas le dernier, ça, là, là » (Larivière, « Séquence : La dernière arnaque », 1996 : 14). La possibilité réelle de tenir un tel spectacle interpelle davantage la population en général qu'un recueil de poésie.

Le film n'est donc pas une mise en récit du recueil ni, dans une certaine mesure, une mise en images, bien que certaines d'entre elles soient liées au texte de manière évidente : les ponts de Fauquier, les billots de bois, le Monument national. Le film effectue plutôt une *mise en action* du recueil de Pierre Albert. Il ancre son propos dans la réalité et le quotidien franco-ontariens, ce qui participe finalement à la diffusion efficace du message d'Albert et à sa vulgarisation. En outre, le film propose aussi une vision plus collectiviste du Dernier des Franco-Ontariens. L'œuvre de Pierre Albert, plus individualiste, sous-entend qu'il est *le* dernier des Franco-Ontariens : « *le dernier des franco-ontariens, c'est vraiment moi, finissait / toujours par conclure l'auteur* » (Albert, 1992 : 49). Dans le film, au contraire, tout Franco-Ontarien est potentiellement le dernier. La fête qu'on prépare est elle-même un symbole de cette dimension collective et nous ramène à l'Autre, comme le signale Pierre Raphaël Pelletier dans l'avant-dernière séquence :

> Et dans le fond, je pense que le Dernier des Franco-Ontariens, en nous amenant à réaliser qu'on est peut-être le Dernier des Franco-Ontariens, et on l'est le Dernier des Franco-Ontariens, nous amène à vivre cette chose sublime, de la compassion pour soi, pour autrui, dans des créations que l'on fait en avant de soi, pour faire en sorte qu'on a en quelque part le salut de vivre (Larivière, « Séquence : La compassion », 1996 : 16).

La transfictionnalité ou Comment fonder
une nouvelle spectature

Le film appartient donc à un mode d'hypertextualité différent de celui de l'adaptation et fonde une spectature innovatrice. Cette pratique hypertextuelle dépasse la simple « transposition » genettienne à cause des multiples procédés auxquels elle a recours. Elle correspond, en fait, à ce que Saint-Gelais nomme la transfictionnalité. Il a créé ce terme pour désigner la migration d'éléments fictifs d'un texte à l'autre (« en donnant au mot "texte" une extension large, valant aussi bien pour la bande dessinée, le cinéma, la représentation théâtrale ou le jeu vidéo » (2007 : 6)). Ces éléments, le plus souvent des personnages, mais aussi des lieux, des univers de référence (comme en science-fiction) ou encore des données encyclopédiques, passent d'un texte à l'autre où ils s'insèrent dans un nouvel univers diégétique. La transfictionnalité se distingue donc de l'intertextualité dans la mesure où il n'y a pas nécessairement de ressemblance anecdotique. En outre, elle présuppose qu'il y a identité « ou, plus exactement, dit Saint-Gelais, *prétention à l'identité* » (2007 : 7) des éléments concernés : « une similitude, celle par exemple qu'on peut observer entre la Tinamer de Jacques Ferron et l'Alice de Lewis Carroll, ne suffit pas ici » (2007 : 7). Ainsi, il y a transfictionnalité dans les romans policiers de Laurie R. King puisque le personnage de Sherlock Holmes qui y apparaît est le même que celui des romans de Conan Doyle, bien qu'il soit aussi différent. En effet, dit Saint-Gelais, « la transfictionnalité travaille l'identité de l'intérieur, en proposant des entités qui ne sont ni tout à fait autres, ni tout à fait mêmes » (2007 : 7). La transfictionnalité n'existe que lorsqu'il y a « cohabitation au sein d'un même cadre diégétique » (2007 : 7) d'éléments nouveaux et d'éléments empruntés.

Même si elle est souvent pensée en fonction d'un rassemblement au sein d'une totalité qui subsumerait tous les éléments importés ou créés, il faut plutôt, selon Saint-Gelais, concevoir ces liens en fonction de la segmentation, car « [l]a transfictionnalité entraîne forcément une *traversée*, et donc à la fois une rupture et un contact, le second venant suturer, mais jamais parfaitement ce que la première a séparé » (2007 : 8). Ainsi, « pour qu'il y ait transfictionnalité, [...] il devrait y avoir, d'une part, effet d'hétérogénéité (ce qu'on peut réinterpréter dans le sens de la fracture [...]) et, d'autre part, production d'énoncés "apocryphes", que le lecteur ne sera pas enclin à considérer comme constitutifs de l'univers fictif en question » (2007 : 14). Cette question de la lecture qui apparaît ici et là dans les réflexions des chercheurs qui s'intéressent à la transfictionnalité nous semble centrale. Pour eux, il est clair que le lecteur perçoit d'emblée le lien avec un autre texte et les emprunts qui lui sont faits. Par conséquent, la transfictionnalité fonderait deux modes de lecture, tous deux déterminés par la façon dont le lecteur conçoit le rapport entre les deux textes. Pour Saint-Gelais, la transfictionnalité donne forme à deux stratégies de lecture :

> La première fait abstraction des domaines esthétiques en cause, pour ne considérer que les différences diégétiques : on fera le relevé des scènes escamotées ou ajoutées, des modifications des attributs des personnages ou des altérations du cadre spatio-temporel. La seconde stratégie consiste au contraire à examiner les différences esthétiques impliquées par le passage à un autre domaine : on notera alors, par exemple, l'incarnation des personnages en des acteurs particuliers, le passage de la description (linéaire) à l'image (simultanée), le remplacement de la focalisation par l'ocularisation, etc. (1999 : 245).

Comme le signale d'ailleurs Saint-Gelais, ces deux stratégies se rejoignent en ce que dans les deux cas, « le lecteur ou l'analyste ne considère pas avoir affaire à deux histoires indépendantes, mais bien à deux versions de ce qui demeure pour lui, et malgré l'ampleur éventuelle des métamorphoses, une "même" histoire » (1999 : 245).

Or le parcours de spectature engendré par *Le Dernier des Franco-Ontariens* est plus complexe et déjoue, de fait, les postures spectrales traditionnelles. Ainsi, le mode de spectature référentiel propre au documentaire, qui fait appel à la reconnaissance d'éléments connus appartenant à la réalité, est déjoué dans le film, qui se donne cependant pour un documentaire par le fait qu'il n'identifie pas les personnes réelles qui y interviennent en tant que figures d'autorité. Ni Pierre Raphaël

Pelletier, qui y est présent en tant qu'intellectuel et homme engagé sur la scène culturelle franco-ontarienne en plus d'être écrivain et artiste visuel, ni François Paré, intellectuel, professeur d'université, reconnu internationalement pour ses travaux sur les littératures minoritaires, ne sont présentés : ni leur nom ni leur « rôle » social ne sont révélés. Le film fonctionne donc à partir du postulat que ces personnes sont soit reconnaissables par les spectateurs car elles sont très connues – ce qui n'est pas nécessairement le cas à l'extérieur du milieu culturel franco-ontarien –, soit qu'elles n'ont pas besoin d'être reconnues. Le premier cas est évidemment problématique lorsque les spectateurs ne les reconnaissent pas puisque leur « autorité » peut alors s'en trouver diminuée. Le second l'est tout autant puisque la lecture ou spectature documentaire s'appuie nécessairement sur l'autorité et donc la reconnaissance des figures publiques interviewées. Les séquences avec les parents de Pierre Albert et celles tournées à Fauquier, où les gens du village répondent aux questions d'Albert qui, lui, reste hors-champ, sont cependant filmées de façon neutre et se donnent à voir comme appartenant au documentaire. Elles se distinguent des séquences fictives par le fait que ces dernières mettent en scène des personnages qui, de toute évidence, ne sont pas des personnes « réelles », notamment le spectre, qui émerge de la terre et œuvre à la préparation du spectacle, la jeune femme, qui danse sur le pont, ou encore le clown qui, par son déguisement et son nez rouge, appartient de toute évidence au monde de la fiction. Toutefois, le mode de lecture ou de spectature littéraire propre aux films de fiction est lui aussi floué puisque certaines séquences fictives, notamment celles mettant en vedette Paulette Gagnon dans le rôle de la femme du *Dernier*, conservent un statut indécidable. Seule la comparaison minutieuse du film et du recueil, comme nous l'avons vu, permet de cerner la migration de ce personnage du livre vers le film, où il est à la fois le même et l'autre. L'absence de titres en surimpression permet d'ailleurs cette indécidabilité. En effet, si les renseignements (noms, affiliations, etc.) concernant les divers intervenants du film (par exemple, Robert Dickson, écrivain) étaient fournis, le spectateur saurait d'emblée à quel type de séquences il a affaire. Enfin, même la lecture intertextuelle achoppe puisque le sens du film ne se construit pas, lors du visionnement, par un rapprochement constant avec le recueil. En fait, le spectateur qui connaît le livre d'Albert ne garde en mémoire que la trame d'ensemble : un homme qui se désigne comme le Dernier des Franco-Ontariens se questionne avec ironie et sarcasme sur son rapport au monde, où il vit en tant qu'être marginal et minoritaire. Il propose d'organiser un dernier spectacle pour célébrer l'identité franco-ontarienne, puis d'arrêter d'en parler à jamais. Or, si le spectateur retrouve cette trame narrative dans le film, s'il peut percevoir les ajouts, notamment s'il reconnaît François Paré, Robert Marinier ou Paulette Gagnon, il n'en demeure pas moins qu'il ne peut saisir toutes les « manipulations », toute l'extension de la réécriture des passages tirés du livre et triturés qu'en confrontant le film au livre. Ce faisant, le film *Le Dernier des Franco-Ontariens* transgresse même la règle énoncée par René Audet, selon laquelle peu importe les changements et les migrations opérés par la transfictionnalité, « on se retrouve toujours en régime narratif » (2007 : 344). En effet, selon lui, dans la transfiction « l'extension ne se construit pas pour autant comme un exercice de documentation – les fictions créent des lieux, des personnages, de même que des actions qui les mobilisent ; les fictions trouvent à s'incarner sous la forme d'un récit » (2007 : 344). Cependant, bien que le film de Larivière reprenne des lieux, des personnages de même que des actions (l'organisation de la fête, par exemple) du recueil, ces derniers n'apparaissent plus exclusivement à l'intérieur d'un récit, mais adoptent une diversité de formes : documentaire, kinésique (danse), visuelle (images du film), poétique (poèmes de Robert Dickson et de Patrice Desbiens), théâtrale (avec Paulette Gagnon et Robert Marinier) et sans doute pourrait-on en trouver plusieurs autres. Ainsi, le film *Le Dernier des Franco-Ontariens* nous oblige à adopter une spectature tout à fait inédite.

Conclusion

Bref, le film *Le Dernier des Franco-Ontariens* travaille le recueil de Pierre Albert d'une façon inédite. Les liens qui unissent les deux œuvres sont variés : mise en images et collage d'extraits plus ou moins modifiés, mise en récit de l'organisation de la fête, partage de thèmes... L'éclectisme du film tient aussi, et peut-être surtout, à la nature même de ses séquences : certaines sont réalistes et tiennent du documentaire, d'autres sont théâtrales et relèvent de la fiction, d'autres encore ont un caractère indécidable. Leur nature est en partie déterminée par le type de liens qui les unissent au recueil. Toutefois, seule une lecture comparative permet d'en faire ressortir toutes les subtilités. Est-ce à dire que cette lecture s'impose, contrairement à ce qu'affirme Saint-Gelais lorsqu'il déplore ce type d'analyse? Sans doute pas, dans la mesure où le film comporte sa propre signification et demeure une œuvre autonome. La lecture transfictionnelle que nous avons faite ici permet néanmoins de voir toute la créativité de Jean Marc Larivière et de Marie Cadieux, de cerner leur parti pris pour l'espoir et, surtout, d'apprécier toute l'inventivité que permet la transfictionnalité.

BIBLIOGRAPHIE

ALBERT, Pierre (1992). *Le Dernier des Franco-Ontariens*, Sudbury, Prise de parole.

AUDET, René (2007). « Poursuivre, reprendre : enjeux narratifs de la transfictionnalité », dans René Audet et Richard Saint-Gelais (dir.), *La fiction, suites et variations,* Québec, Éditions Nota bene ; Rennes, Presses universitaires de Rennes, p. 327-347.

DORAIS, Fernand (1984). « L'acculturation et les Franco-Ontariens : mais qui a tué André? », *Entre Montréal… et Sudbury : pré-textes pour une francophonie ontarienne*, Sudbury, Prise de parole, p. 15-33.

GENETTE, Gérard (1982). *Palimpsestes : la littérature au second degré*, Paris, Seuil, coll. « Points ».

HOTTE, Lucie (2001). *Romans de la lecture, lecture du roman : l'inscription de la lecture*, Québec, Éditions Nota bene.

LARIVIÈRE, Jean Marc (réalisateur) (1993). *Sur le bord* [film], Toronto, Les Communications Osmose, 5 min.

LARIVIÈRE, Jean Marc (réalisateur) (1996). *Le Dernier des Franco-Ontariens* [film], scénariste : Marie Cadieux, Toronto, Les Communications Nunacom et l'Office national du film du Canada, 58 min.

LEFEBVRE, Martin (2007). « Le parti pris de la spectature », dans Bertrand Gervais et Rachel Bouvet (dir.), *Théories et pratiques de la lecture littéraire*, Québec, Presses de l'Université du Québec, p. 225-270.

MERCIER, Andrée (1999). « L'adaptation imaginaire : récits littéraires contemporains et langage cinématographique », dans Andrée Mercier et Esther Pelletier (dir.), *L'adaptation dans tous ses états : passage d'un mode d'expression à un autre*, Québec, Éditions Nota bene, p. 9-20.

SAINT-GELAIS, Richard (1999). « Adaptation et transfictionnalité », dans Andrée Mercier et Esther Pelletier (dir.), *L'adaptation dans tous ses* états : *passage d'un mode d'expression à un autre*, Québec, Éditions Nota bene, p. 243-258.

SAINT-GELAIS, Richard (2007). « Contours de la transfictionnalité », dans René Audet et Richard Saint-Gelais (dir.), *La fiction, suites et variations*, Québec, Éditions Nota bene ; Rennes, Presses universitaires de Rennes, p. 5-25.

Les commissions scolaires et les immigrants à Toronto et à Montréal (1900-1945) : quatre modèles d'intégration en milieu urbain

Jean-Philippe Croteau
Chercheur indépendant

L A QUESTION DE L'INTÉGRATION des immigrants a traditionnellement été traitée par l'historiographie canadienne en vase clos, dans le cas non seulement de Toronto et de Montréal, mais aussi des différentes commissions scolaires établies sur le territoire des deux métropoles (Hardy, 1950 ; Gagnon, 1996a ; MacLeod et Poutanen, 2004 ; Dixon, 2007). Ainsi, les monographies abordent l'histoire des commissions scolaires selon une perspective institutionnelle qui embrasse l'ensemble de leurs activités et accorde, en général, une importance secondaire à la question de l'intégration des immigrants. En renforçant ainsi la singularité de ces institutions éducatives et de leur milieu social, cette approche n'a pas tenu compte d'une certaine convergence des politiques des commissions scolaires torontoises et montréalaises qui, à de nombreux points de vue, tendaient à s'inscrire dans un même mouvement façonné par un contexte urbain, cosmopolite et nord-américain.

Au début du XXe siècle, les commissions scolaires torontoises et montréalaises sont confrontées à la question de l'intégration des immigrants. Au fur et à mesure qu'elles accueillent les enfants des immigrants dans leurs écoles, ces commissions scolaires adoptent des modèles d'intégration qui visent principalement l'assimilation des nouveaux arrivants aux valeurs, aux normes, à la culture et à la langue de la société d'accueil. Dans cet article, nous présenterons successivement les fondements de ces modèles d'intégration, leur mise en œuvre par les dirigeants des commissions scolaires et les stratégies employées pour favoriser la « canadianisation » de l'immigrant au cours de la période qui s'étend de 1900 à 1945[1] (Gordon, 1961, 1964). C'est en effet au cours de cette

---

[1] Trois modèles d'assimilation – ou d'intégration – ont été retenus par les sociologues américains. Le premier modèle théorique réfère à l'*anglo-conformity*, qui consiste pour

période que les milieux scolaires visent l'assimilation des immigrants à la culture de la majorité. Dans les décennies suivant la Seconde Guerre mondiale, contrecoup de l'immigration et du changement des mentalités qui s'ensuit, les systèmes d'éducation à Toronto et à Montréal prennent acte des transformations survenues au sein de la population canadienne et adoptent de nouvelles politiques à l'endroit des immigrants. Ces politiques sont plus inclusives et respectueuses de leurs différences culturelles et religieuses.

Cependant, en dépit de leurs visées communes, les commissions scolaires ont développé, entre 1900 et 1945, des approches distinctes qui reflétaient les conditions sociales et culturelles de leur environnement respectif. En conséquence, si l'ensemble des commissions scolaires torontoises et montréalaises ont cherché à gérer la diversité culturelle et religieuse et convenu de la nécessité d'intégrer, voire d'assimiler les immigrants à la société d'accueil et à la culture dominante, leurs réponses ont varié en fonction de la réalité, des besoins et des impératifs du milieu.

Toronto et Montréal : gérer le pluralisme ethnique et religieux

Les transformations survenues dans le champ éducatif à Toronto et à Montréal et les politiques formulées par les commissions scolaires à l'intention des immigrants ne peuvent être comprises sans considérer la composition ethnique et religieuse de ces villes et l'aménagement des modes de gestion sociale qui en découle. Or deux modèles religieux et de gestion interethnique relevés à Toronto et à Montréal trouvent leur origine dans les rapports sociaux entretenus entre les groupes majoritaires et minoritaires.

---

l'immigrant à adopter la culture, le comportement et les valeurs du groupe majoritaire au sein de la société d'accueil – la culture anglo-américaine dans ce cas-ci. Le *melting pot* renvoie au processus d'assimilation des immigrants aux États-Unis, qui renoncent à leurs traditions et à leur culture pour se fondre dans le creuset américain et former une nouvelle société qui repose sur les principes de l'individualisme, de la liberté, de la démocratie et de la liberté d'entreprise. L'immigrant participe à la construction de la société américaine sans cesse renouvelée par les multiples apports migratoires et qui apparaît comme un produit amélioré et même supérieur aux sociétés européennes préexistantes. Enfin, le dernier modèle évoqué, le pluralisme culturel, postule que les individus peuvent adhérer à plusieurs identités et œuvrer à la conservation de leur culture d'origine, tout en contribuant à l'avancement de la nation, qui se trouve enrichie de l'apport des différentes cultures.

Toronto, dans la seconde moitié du XIXe siècle, offre le portrait d'une société composée d'un noyau majoritaire, qui provient essentiellement des îles britanniques (Angleterre, Écosse, pays de Galles et Irlande). Entre la fin du XIXe siècle et l'entre-deux-guerres, les Britanniques représentent entre 85 et 97 % de la population torontoise (voir le graphique 1).

Graphique 1
Origine ethnique de la population de Toronto
en pourcentage, 1851-1961

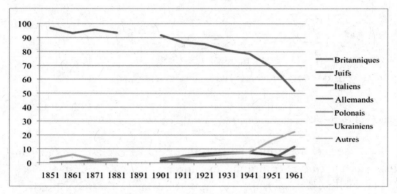

Sources : Recensements du Canada, 1851-1961 (Careless, 1984 : 201-202).

Ce portrait est à peine plus hétérogène sur le plan religieux. Avant le XXe siècle, il s'agit d'une ville essentiellement protestante, avec une importante minorité catholique. Au cours de la même période, l'ensemble des Églises protestantes composent, approximativement, entre 75 et 85 % de la population torontoise, tandis que les catholiques constituent entre 12 et 25 % de la population (voir le graphique 2).

Graphique 2
Appartenance confessionnelle de la population de Toronto en pourcentage, 1851-1961

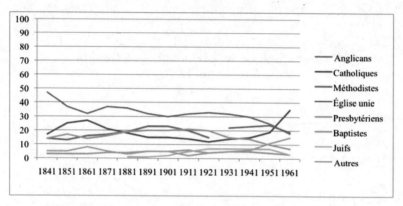

Sources : Recensements du Canada, 1851-1961 (Lemon, 1985 : 197).

Cette société à prédominance britannique et protestante fait consensus sur une culture commune, des normes et des valeurs religieuses et sociales, soit l'*anglo-conformity*. Les rapports sociaux à Toronto s'inscrivent donc dans une logique majoritaire visant à imposer à l'ensemble de la population une culture consensuelle fondée sur l'adhésion à la culture britannique, à la religion protestante et à ses valeurs sociales, ainsi qu'au loyalisme envers la Grande-Bretagne et son empire (Careless, 1984). La minorité catholique, elle aussi homogène, se concentre autour de l'élément irlandais et professe un conformisme social basé sur l'appartenance à l'Église catholique et sur l'idéal national irlandais, qui prône une réponse spirituelle aux valeurs matérielles de la société anglo-protestante (Clarke, 1993 ; Nicolson, 1983, 1984a, 1984b).

À ce titre, l'école publique, considérée comme gardienne ou protectrice de l'ordre social, devient un outil aux mains de la majorité pour assurer la permanence du consensus britannique et protestant qui règne à Toronto. Les velléités assimilatrices de la majorité ne sont battues en brèche que par les Irlandais, assez nombreux pour lui faire contrepoids. Cette résistance s'appuie, entre autres, sur les écoles séparées mises sur pied dans les années 1850.

À Montréal, la situation est totalement différente. Dès 1850, deux majorités, l'une anglo-protestante et l'autre franco-catholique, véhiculent des conceptions nationales et religieuses diamétralement opposées et se partagent l'espace montréalais délimité par leur réseau institutionnel, qui englobe les champs social, religieux, culturel et éducatif. Ainsi, à Montréal, dans la seconde moitié du XIXe siècle, le catholicisme s'incarne au sein d'une Église nationale qui défend la culture française, la foi catholique, les traditions nationales et les valeurs rurales de la société canadienne-française (Sylvain et Voisine, 1991 ; Hardy, 1999 ; Perin, 2008). Le réseau institutionnel britannique et protestant joue une fonction sociale similaire, protégeant le caractère national de la communauté anglo-montréalaise fondé sur l'appartenance à l'Empire britannique, à ses institutions politiques, à la religion protestante et à une certaine conception de la modernité qui lui apparaît menacée par l'ultramontanisme triomphant de l'Église catholique (Rudin, 1986 : 103-114).

Cette dualité institutionnelle, ou le « cloisonnement ethnique » – pour reprendre l'expression de l'historien Paul-André Linteau –, est encouragée par les élites politiques et les Églises qui y voient une façon de gérer les conflits courants à l'époque, en confinant chacun des groupes ethniques à l'intérieur de son propre espace identitaire. Les élites respectives des deux groupes jouent un rôle d'intermédiaire et s'efforcent, par la médiation et la négociation, de prévenir les conflits ethniques ou de les tempérer lorsque ceux-ci sont inévitables. Il ressort de ce mode de gestion interethnique qu'aucun des deux groupes ne prédomine ; ils vivent plutôt côte à côte, évitant les contacts et les points de friction à l'intérieur de leurs propres réseaux institutionnels (Linteau, 1982).

Bien que les franco-catholiques deviennent majoritaires au lendemain de la Confédération et que la proportion des Britanniques décroisse au profit des tiers groupes, aucun changement n'intervient dans la dynamique interethnique qui règne à Montréal (voir le graphique 3). Au contraire, les nouveaux arrivants – les Irlandais, les Juifs et les Italiens principalement – s'organisent selon le même modèle et mettent sur pied leurs propres institutions sociales, éducatives, religieuses ou de bienfaisance. L'absence d'une volonté assimilatrice de la part des deux groupes majoritaires favorisera la fragmentation de l'espace social montréalais et permettra aux tiers groupes de faire valoir leurs revendications identitaires (Anctil, 1984).

Graphique 3
Origine ethnique de la population de Montréal en pourcentage
1871-1961 (années choisies)

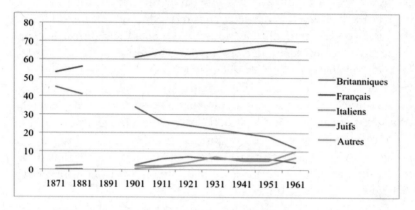

Sources : Recensements du Canada, 1851-1961 (Linteau, 1982 : 52).

Le Toronto Board of Education : l'assimilationnisme offensif

Les écoles publiques à Toronto et en Ontario, fondées dans les années 1840 et 1850, constituent la réponse formulée par les élites politiques et sociales de l'époque aux crises politiques des années 1830 et aux bouleversements sociaux engendrés par l'industrialisation. Ces élites, descendant des loyalistes qui ont fui la Révolution américaine, valorisent une école publique qui préserve la société des risques de contagion républicaine, de la dilution des valeurs religieuses et de l'éclatement des structures sociales causé par les insurrections politiques et l'industrialisation (Prentice, 1977 ; MacDonald et Chaiton, 1978 ; Stamp, 1982 ; Curtis, 1987 ; Houston et Prentice, 1988).

Cependant, au début du siècle suivant, l'arrivée d'immigrants d'Europe du Nord, d'Europe centrale et orientale amène les responsables à étendre la fonction sociale de l'école publique (Harney et Troper, 1975 ; Harney, 1981 ; Harney, 1985). En effet, entre le début du xxe siècle et le début des années 1930, les effectifs scolaires du Toronto Board of Education (TBE) passent de 30 000 à 100 000 élèves, une augmentation en partie alimentée par l'immigration[2] (voir le graphique 4). Les dirigeants

---

[2]   Nous disposons de peu d'informations sur le nombre ou la proportion d'élèves d'origine immigrante dans les écoles publiques à Toronto, à l'exception d'une étude

du TBE définissent un modèle d'intégration scolaire pour les nouveaux arrivants, l'*anglo-conformity*, qui témoigne de leur attachement à une conception de l'instruction publique fondée sur la culture britannique, la religion et les valeurs protestantes ainsi que le loyalisme envers l'Empire britannique.

Graphique 4
Les effectifs scolaires des écoles publiques et séparées à Toronto
1885-1962 (années choisies)

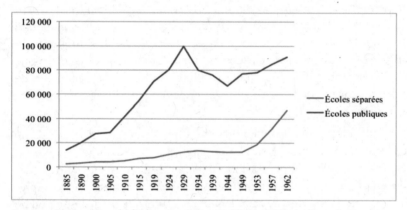

Sources : Toronto Board of Education, Minutes (1885-1962), Archives du Toronto Board of Education ; Toronto District Catholic School Board, Minutes (1885-1962), Archives du Toronto District Catholic School Board.

Ce modèle d'intégration est fortement teinté des appréhensions et des inquiétudes des élites politiques, religieuses et éducatives, qui estiment l'ordre social gravement menacé par l'arrivée d'immigrants jugés inassimilables, à l'origine de nombreux maux sociaux, notamment en raison de leur culture perçue comme incompatible avec les normes et les valeurs de la société anglo-protestante. Dans ce cas, on prône un assimilationnisme offensif qui s'adresse, d'une part, à l'ensemble des immigrants sans exception et non pas à un groupe ethnique ou religieux particulier. D'autre part, il s'agit d'un assimilationnisme intégral qui vise

menée en 1938 qui établit que 14 152 enfants sont d'origine étrangère contre 66 135 d'origine britannique, soit 17 % (« Report of the Special Committee Re Wider Use of the Board's Educational Plant and Services, Friday, June 3rd, 1938 », Toronto Board of Education Minutes, Archives du Toronto Board Education (ATBE)).

à amener l'immigrant à troquer sa langue pour l'anglais, à embrasser la culture et les valeurs religieuses protestantes, voire même, parfois, à favoriser la christianisation, à changer d'allégeance politique pour celle de l'Empire britannique et, enfin, à adopter les comportements sociaux prescrits par la société d'accueil[3].

Cet assimilationnisme offensif se manifeste au sein de trois champs d'intervention. En premier lieu, l'assimilation de l'immigrant à la société d'accueil est intimement liée à l'apprentissage de l'anglais, comme l'explique l'inspecteur d'école G. R. McGill : « *These men and women from foreign lands have come to realize that unless they know English they must remain strangers in the larger world of the whole people and must be under a constant handicap both in business and in their social relations*[4] ». Les dirigeants du TBE de l'époque craignent par-dessus tout la marginalisation économique de l'immigrant, qui ne peut que le conduire sur les voies du chômage, de la délinquance et de la criminalité, et provoquer ainsi la dégénérescence de l'ordre social[5].

Cependant, pour les membres du TBE, l'adoption de l'anglais ne se limite pas à la simple assimilation linguistique. Elle donne accès à un univers mental qui permet à l'immigrant d'embrasser une culture, des coutumes, des traditions et des valeurs qui échapperaient à sa compréhension sans la maîtrise de cette langue, ce qui risquerait de l'isoler ou de l'exclure de la société. Ainsi, la tâche de l'école publique apparaît double :

> *When we consider the cosmopolitan character of this school, we cannot help thinking what a great opportunity the principal and teachers have for instilling in the minds of these men and women from Central Europe the principles of freedom and justice*

---

[3]   L'historien Howard Palmer (1998) considère que les élites canadiennes-anglaises ont adhéré à l'*anglo-conformity* comme modèle d'assimilation dominant à partir des années 1880 jusqu'aux années 1920. Au cours de la Dépression, et ce, jusqu'à la Seconde Guerre mondiale, c'est davantage le modèle du *melting pot* qui est retenu. Enfin, Palmer observe une transition vers le pluralisme culturel entre les années 1945 et 1971, jusqu'à ce que le gouvernement fédéral adopte sa politique officielle du multiculturalisme.

[4]   « Ces hommes et ces femmes des pays étrangers doivent réaliser que, à moins qu'ils ne connaissent l'anglais, ils resteront des étrangers au sein de ce peuple [canadien], et cette situation constituera un handicap constant à la fois pour les affaires et leurs relations sociales » (« 1200 Foreigners in Night Schools: Canadians Being Made Here by Education Board », *The Mail and Empire*, 7 novembre 1929). (Nous traduisons.)

[5]   Toronto Board of Education Minutes, 1er décembre 1921, ATBE.

for which Canada stands. The teachers of this school are teaching English to their students, but they are also not losing sight of the broader aim, the Canadianizing of our foreign population[6].

Le deuxième champ d'intervention est lié à la préservation de l'héritage protestant. Bien que le TBE s'affiche comme non sectaire par opposition aux écoles séparées, un nombre important d'heures est accordé à la prière, à la lecture, à l'étude et à l'interprétation des Saintes Écritures, sans compter que la matière profane enseignée est fortement imprégnée de la doctrine du christianisme. L'héritage chrétien, mis de l'avant dans le *curriculum* des écoles publiques, fait partie des connaissances qu'un citoyen canadien se doit d'acquérir pour œuvrer dans la société :

> *[…] that a fair knowledge of the Bible and its contents are essential to the possession of a real education by the youth of our schools, who are to be Canadian men and women of the future, and whereas the scriptures contain the elements of our common law and the principles upon which the British Empire is founded as well as the solution of many of our national, industrial and social problems […]*[7].

Pour accomplir cette tâche, le TBE n'agit pas seul. Il entretient des relations privilégiées principalement avec les missions protestantes, méthodistes et presbytériennes, actives dans des campagnes de prosélytisme destinées aux immigrants. Les missions protestantes accueillent les immigrants à leur arrivée, leur offrent certains services sociaux, les aident à trouver un logement et un travail, ouvrent des *sunday classes* à leur intention et incitent les parents à inscrire leurs enfants aux écoles publiques. Ces missions sont particulièrement actives auprès des immigrants catholiques, notamment les Italiens ainsi que les Juifs

---

6   « Lorsque nous examinons le caractère cosmopolite de cette école, nous ne pouvons nous empêcher de penser qu'il s'agit d'une occasion importante pour le directeur et les enseignants d'inculquer dans l'esprit de ces hommes et femmes d'Europe centrale les principes de liberté et de justice que défend le Canada. Les enseignants de cette école enseignent l'anglais à leurs élèves, mais sans perdre de vue l'objectif global, soit la canadianisation de notre population étrangère » (*Annual Report of the Board of Education for the City of Toronto* (1928), p. 156-158). (Nous traduisons.)

7   « […] qu'une bonne connaissance de la Bible et son contenu sont essentiels afin de donner une éducation réelle aux jeunes de nos écoles, qui seront les Canadiens et les Canadiennes de l'avenir, tandis que les Saintes Écritures comportent des éléments de notre common law et les principes sur lesquels reposent l'Empire britannique ainsi que la solution à bon nombre de nos problèmes nationaux, industriels et sociaux. […] » (Toronto Board of Education Minutes, 3 novembre 1921, ATBE). (Nous traduisons.)

(Speisman, 1979; Dekar, 1988). Les missions protestantes constituent dans les faits un agent de recrutement pour le compte des écoles publiques. En échange, le TBE offre un espace d'intervention qui prolonge les activités de prosélytisme des missions protestantes dans la cour d'école et même dans les classes, notamment en distribuant des bibles et en aidant l'enseignant dans sa tâche (Pennachio, 1986).

Le troisième champ d'intervention consiste à transmettre aux enfants un sentiment de loyalisme britannique et de patriotisme impérial. Dès la fondation des écoles publiques, pour les législateurs et les réformateurs du Canada-Ouest, descendants des loyalistes, l'école publique doit jouer le rôle de cordon sanitaire auprès des masses pour les protéger de la contagion républicaine américaine et susciter chez elles une loyauté envers la monarchie britannique, son empire et ses institutions politiques. Pour exalter ce patriotisme, diverses cérémonies et manifestations ont lieu. Tous les jours, les élèves assistent au lever du drapeau *Union Jack* en chantant *God Save the King*. De plus, dans les classes, les portraits des monarques sont omniprésents, tandis que les journées du *Remembrance Day*, *King Day* et *Victoria Day* sont autant d'événements pour célébrer l'appartenance à l'Empire britannique. Sans compter que le contenu des programmes d'études cherche implicitement à renforcer, chez les élèves, le sentiment d'appartenance à l'Empire britannique et le patriotisme envers la Grande-Bretagne (Berger, 1970; Stamp, 1977, 1982; Moss, 2001).

Ce volet « loyaliste » ou « patriotique » des écoles publiques s'adresse aussi aux enfants des immigrants pour s'assurer de leur loyauté à la Couronne britannique et qu'ils renoncent à l'allégeance de leurs parents à des souverains étrangers. À partir de l'année 1875, les garçons sont obligés de servir dans les cadets afin d'apprendre non seulement la discipline et le respect de l'autorité, mais aussi se voir inculquer le patriotisme impérial. Les dirigeants du TBE ne s'en cachent pas, le service dans les cadets est destiné spécialement aux enfants d'immigrants[8]. Le révérend Nathaniel Burwash, ardent promoteur de l'exercice des cadets dans les écoles publiques, rappelle que cette activité favorise la « canadianisation » des enfants des nouveaux arrivants en les initiant aux traditions loyalistes :

> *In many parts of Canada, a great many foreign boys are making a new home. There is no other process by which they can be made proud of their King, their new*

---

[8]   Toronto Board of Education, *Curriculum. Cadet Training*, 1889, ATBE.

country, their flag, and the institutions it represents so quicky and so thouroughly as by wearing the King's uniform, and keeping step to patriotic British-Canadian music behind the Union Jack as part of a patriotic organization, along with British-Canadian boys. In this way a patriotic spirit enters a boy's heart and life (Burwash, 1889 : 6-7)[9].

Ainsi, l'*anglo-conformity*, telle que professée dans les écoles publiques, épouse un triptyque qui vise la canadianisation de l'immigrant : l'adoption de la langue anglaise, l'adhésion à la religion, à la culture et aux valeurs protestantes, et l'inculcation d'un patriotisme impérial. Ce modèle d'intégration scolaire perdurera jusqu'à la Seconde Guerre mondiale, pour être ensuite sérieusement ébranlé quand le tissu identitaire et sociologique de la société torontoise et canadienne-anglaise se trouvera profondément transformé en raison d'une immigration massive et de l'émergence d'un nationalisme canadien. À ce moment, l'école publique mettra de l'avant des cours d'éducation à la citoyenneté, qui ouvriront la voie à une identité un peu plus inclusive et davantage détachée de l'héritage britannique et protestant (Troper, 2002 ; Igartua, 2006).

Le Toronto Separate School Board : l'assimilationnisme défensif

Au tournant du xxᵉ siècle, les classes dirigeantes – religieuses et politiques – de la minorité irlandaise professent une nouvelle identité – *Canadian English Catholic* –, détachée de ses racines irlandaises, qui traduit leur volonté d'intégrer à la société torontoise les deuxième et troisième générations. L'école séparée participe à la construction de cette nouvelle identité en diffusant un idéal de citoyenneté fondé sur l'appartenance à la société canadienne et à l'Église catholique. Une citoyenneté civique et religieuse, canadienne et catholique (McGowan, 1989).

Cette nouvelle citoyenneté, promue, entre autres, par les écoles séparées, ne s'adresse pas uniquement aux descendants de la minorité

---

[9]   « Dans de nombreuses régions canadiennes, un grand nombre de garçons étrangers s'installent dans un nouveau foyer. Il n'y a aucun autre processus pouvant les rendre fiers de leur Roi, de leur nouveau pays, de leur drapeau et de leurs institutions aussi rapidement et complètement qu'en portant l'uniforme du roi, et en battant la mesure de la musique anglo-canadienne derrière l'*Union Jack* dans le cadre d'une organisation patriotique, de concert avec des garçons anglo-canadiens. Ainsi, l'esprit patriotique pénètre dans le cœur et la vie du garçon. » (Nous traduisons.)

irlandaise. Les dirigeants du Toronto Separate School Board (TSSB) prônent, à l'intention des immigrants, un « assimilationnisme défensif », pour reprendre l'expression de l'auteur Laurent Batut, qui ressemble à tous les points de vue au modèle d'intégration scolaire des écoles publiques. La seule différence est qu'il invite les immigrants, catholiques uniquement, à rejoindre les rangs de la minorité déjà existante pour conserver leur foi catholique, adopter la langue anglaise et adhérer à la culture anglo-canadienne (Batut, 2006 ; McGowan, 1999 : 221-252).

Rappelons que les écoles séparées en Ontario sont fondées, dans les années 1850, grâce à la lutte énergique menée par l'épiscopat catholique, la presse, les associations et les sociétés nationalistes irlandaises, qui s'appuient sur la présence d'immigrants catholiques toujours plus nombreux à fuir la famine en Irlande. Elles sont une réponse aux écoles publiques, mises en place à la même époque par le surintendant de l'instruction publique du Canada-Ouest, Egerton Ryerson. Bien qu'elles se considèrent comme non sectaires, ces écoles sont perçues par le clergé catholique et les nationalistes irlandais comme un instrument d'assimilation aux mains de la majorité protestante. L'école séparée vise à offrir une éducation religieuse imprégnée de la doctrine du catholicisme, mais elle joue aussi un rôle dans la transmission identitaire de l'héritage irlandais fondé sur une culture, des traditions et une histoire nationale distincte (Walker, 1954, 1964, 1986 ; Nicolson, 1984a ; Stamp, 1985 ; Power, 2002 ; Dixon, 2007).

Cependant, les écoles séparées doivent faire face aux transformations sociales survenant au sein de la minorité catholique de Toronto à partir du XXe siècle. Dans le dernier tiers du XIXe siècle, cette minorité était surtout constituée d'immigrants irlandais. Au début du siècle suivant, le tissu ethnique de la collectivité catholique se diversifie, modifiant inévitablement la fonction sociale que jouaient les écoles séparées. Peu à peu, des immigrants ukrainiens, allemands, lithuaniens, polonais et italiens s'établissent à Toronto. En 1851, les catholiques qui ne sont pas d'extraction irlandaise constituent 5 % de la population contre 20 % un demi-siècle plus tard (Nicolson, 1984b : 341). Au cours de la période étudiée, soit entre 1900 et 1945, les effectifs scolaires des écoles séparées triplent, passant de 4 000 à 12 000 élèves grâce, entre autres, à l'apport de l'immigration (voir le graphique 4). Auparavant, l'école séparée visait à assurer la préservation de l'identité culturelle et religieuse des Irlandais établis à Toronto. Au tournant du XXe siècle et plus particulièrement au lendemain de la Première Guerre mondiale, les élites religieuses et laïques catholiques aspirent à ce que l'école séparée assume un nouveau rôle, celui de former des citoyens canadiens de langue anglaise et de foi catholique.

Plusieurs raisons motivent les représentants de la communauté catholique de Toronto à faire passer l'école séparée d'instrument de préservation de l'identité religieuse et culturelle à agent d'assimilation des immigrants. Depuis la fin du XIXe siècle, la proportion des catholiques à Toronto est en net déclin, passant de 25 à 12 % de la population torontoise, entre 1851 et 1921 (voir le graphique 2). L'assimilation des immigrants apparaît comme une stratégie pour renouveler la population catholique, renforcer sa position et éviter le déclin inexorable qui la menace face aux protestants (Daly, 1921, 1927)[10].

De plus, les Églises protestantes établissent de nombreuses missions dans les quartiers habités par les nouveaux arrivants catholiques et leur offrent des services éducatifs, sociaux et caritatifs. Arrivés dans l'indigence la plus complète, privés de structures d'encadrement à caractère religieux ou social, les immigrants catholiques constituent une clientèle vulnérable aux arguments développés par les missions protestantes pour les convertir. Ces campagnes de prosélytisme inquiètent l'Église catholique, qui voit l'étau se resserrer autour d'elle en perdant ainsi certains de ses fidèles. Elle ne tarde pas à réagir en mettant sur pied des structures d'accueil et d'encadrement pour les immigrants catholiques afin de concurrencer les missions protestantes (Tumbo, 1993).

Enfin, le dernier élément à considérer est le caractère politique de l'assimilation des immigrants. Dans les années 1920 et 1930, l'épiscopat catholique, la presse et les associations laïques partent en croisade pour faire reconnaître l'égalité des écoles séparées avec les écoles publiques, car les écoles séparées ne disposent pas du même accès aux ressources financières[11] (Walker, 1964 ; Power, 2002 ; Dixon, 2007). On assiste

---

[10]   Ce déclin perceptible à Toronto est accentué par les « pertes » enregistrées dans les Prairies par les immigrants catholiques qui, en l'absence de structures d'accueil et d'encadrement, cessent leur pratique religieuse et abandonnent leur foi. L'archevêché de Toronto réagit en mettant sur pied, en 1908, le Catholic Church Extension Society, puis le Sisters of Service en 1922, qui visent tous deux à fournir un soutien spirituel et social aux nouveaux arrivants catholiques.

[11]   Les écoles séparées de l'Ontario souffrent, en effet, d'un sous-financement par rapport aux écoles publiques. Elles ne reçoivent pas le même montant des octrois

donc à une instrumentalisation des immigrants pour légitimer et justifier l'existence des écoles séparées. L'archevêque catholique de Toronto, Neil McNeil, rappelle la contribution des écoles séparées à l'assimilation des immigrants catholiques au même titre que les écoles publiques :

> *The assimilating influence of the Separate Schools is equal to that of the Public Schools, and has the advantages of being safer. It is not good for men to undergo radical changes suddenly. It is like the transplanting of trees with a complete change of climate as the same time. When immigrants from Europe or Asia settle in Canada it is good for them to find here some institutions which was part of their social background in the countries from which they came. The transition is then more gradual and more wholesome. Immigrants from Denmark are more contented if they find a Lutheran church functioning in the town or rural district in which they settle. Italian children feel much more at home in a school taught by Sisters. The change is too sudden. The effect is apt to be that children of immigrants despise their parents as foreigners. There are over three thousands children of immigrants in the Separate Schools of Toronto and they are acquiring Canadian ways and Canadian views of life as effectively as the country has a right to expect* (Archbishop of Toronto, 1924)[12].

---

gouvernementaux alloués aux écoles publiques, sous le prétexte qu'elles ne remplissent pas certaines conditions. De plus, les écoles séparées ne retirent pas de revenus des taxes scolaires versées par les sociétés et les industries. Enfin, les *high schools* catholiques ne peuvent bénéficier des subventions de l'État au-delà de la 10e année. Malgré les efforts de l'Église catholique de l'Ontario et des associations laïques, qui mènent, à partir des années 1920, une campagne pour mettre fin à cette discrimination, ce n'est que dans les années 1960 que le gouvernement de l'Ontario augmente ses subsides aux écoles séparées et, en 1984, que les *high schools* catholiques sont financées au même titre que les *high schools* publiques.

[12]   « L'influence assimilatrice des écoles séparées est égale à celle des écoles publiques et a l'avantage d'être plus sûre. Il n'est pas sain pour des hommes de subir soudainement des changements radicaux. C'est comme transplanter des arbres au moment même où survient un important changement climatique. Lorsque des immigrants d'Europe ou d'Asie s'installent au Canada, il leur est utile de retouver des institutions qui faisaient partie de leur cadre social dans leur pays d'origine. La transition est alors plus graduelle et plus saine. Les immigrants danois sont plus satisfaits s'ils trouvent une église luthérienne dans la ville ou le district rural où ils s'installent. Les enfants italiens se sentent plus à l'aise dans une école où les enseignantes sont des religieuses. Le changement est trop brusque. Il est probable que cela fasse en sorte que les enfants d'immigrants méprisent leurs parents en tant qu'étrangers. Il y a plus de trois mille enfants d'immigrants dans les écoles séparées de Toronto et ils adoptent des habitudes canadiennes et des points de vue canadiens sur la vie de manière aussi efficace que le pays[Canada] est en droit d'attendre. » (Nous traduisons.)

Ainsi, l'école séparée, en tant qu'agent d'assimilation, contribue à augmenter ses effectifs scolaires, et à accroître son poids politique, tout en renforçant l'unité et la cohésion de l'Église catholique autour de la langue anglaise.

À partir des années 1910, l'archevêché de Toronto favorise systématiquement la création de paroisses nationales à l'intention des immigrants avec, à leur tête, un prêtre de leur nationalité (Perin, 1998). Celui-ci travaille de concert avec le TSSB pour s'assurer que les parents envoient bien leurs enfants aux écoles séparées plutôt qu'aux écoles publiques. Il joue aussi le rôle de porte-parole de ces communautés auprès du TSSB pour réclamer la construction ou l'agrandissement d'une école dans la paroisse[13].

L'école séparée encourage fortement l'assimilation des arrivants en mettant sur pied des classes d'anglais, tant le jour que le soir, spécialement conçues pour ceux qui ne maîtrisent pas cette langue. L'archevêque Neil McNeil fait état, dans les années 1920, des visées assimilatrices de l'école séparée : « *In their homes they speak similar variety of language, but the language of the school is the English and the books are Canadian. The teacher know no other language…there are always large groups of children whose mother tongue is English and the playground is English*[14] » (McGowan, 1999 : 223).

Pourtant, les immigrants n'acceptent pas d'emblée l'assimilation à cette *catholic anglo-conformity*. Les paroisses nationales deviennent souvent des foyers de résistance qui contestent l'autorité de l'épiscopat irlandais (Shahrodi, 1993). Par ailleurs, les dirigeants du TSSB sont conscients que les parents immigrants peuvent toujours faire fi des directives de leur curé et envoyer leurs enfants à l'école publique, qui offre davantage de services éducatifs, des écoles mieux équipées et plus spacieuses et l'accès à des *high schools* subventionnées par le gouvernement. Pour augmenter l'attrait

---

[13] Toronto Separate School Board Minutes, 4 avril 1922, Archives du Toronto Catholic District School Board (ATCDSB).

[14] « À la maison, ils [les immigrants] parlent une variété de langues, mais la langue de l'école est l'anglais et les livres sont canadiens. L'enseignant ne connaît pas d'autre langue… il y a toujours de nombreux groupes d'enfants dont la langue maternelle est l'anglais et l'anglais est aussi la langue du terrain de jeu » (« National Unity and the School », 8 février 1933, McNeil Papers, Archives du Roman Catholic Archdiocese of Toronto (ARCAT). (Nous traduisons.)

des écoles séparées auprès des immigrants, les commissaires du TSSB autorisent l'enseignement du slovaque, du lithuanien, de l'ukrainien et de l'italien après les heures régulières de cours[15], une mesure qui, d'après eux, permet non seulement de garder les enfants d'immigrants catholiques à l'école séparée, mais aussi d'attirer ceux qui fréquentent déjà l'école publique[16].

Même si les immigrants catholiques parviennent à obtenir certains aménagements linguistiques, ils sont trop peu nombreux pour faire fléchir davantage la direction du TSSB sur cette question. Ils ne pourront faire entendre leur voix qu'à la fin des années 1940 avec la reprise de l'immigration, alors qu'ils constituent la force montante au sein du catholicisme torontois. Lors de la Commission royale d'enquête sur l'éducation en Ontario, mieux connue sous le nom de commission Hope, ils sont nombreux à revendiquer une place plus grande à l'enseignement des langues autres que l'anglais dans les programmes d'études[17].

Hormis l'enseignement de la langue anglaise, le programme d'études constitue le second outil de canadianisation des immigrants employé par le TSSB. Dès le lendemain de la Première Guerre mondiale, le programme d'études des écoles séparées prépare les enfants à devenir des citoyens canadiens fidèles à leur patrie et des catholiques respectueux des enseignements de l'Église. Pour ce faire, le programme d'études accorde une grande place à la formation religieuse des enfants ; les cours d'histoire valorisent la contribution des catholiques à l'histoire du Canada ; la

---

[15]   Toronto Separate School Board Minutes, 2 octobre 1923, 4 février 1927, 5 avril 1927, 12 novembre 1929, 14 janvier 1930, 13 décembre 1938, 6 décembre 1939, ATCDSB.

[16]   Toronto Separate School Board Minutes, 5 juin 1923, 4 mars 1930, 1er avril 1930, ATCDSB.

[17]   Plusieurs mémoires déposés par des associations de Néo-Canadiens à la commission Hope réclament qu'une place plus importante soit accordée à l'enseignement des langues maternelles à l'école publique ou séparée. Voir Canadian Polish Congress, *Education and the New Canadian* ; Czechoslovak National Alliance, *Education and the New Canadian of Czechoslovak* ; The Scandinavian-Canadian Club, *Suggestions on Education in Ontario* ; The Ukrainian Canadian Committee, *The Integration of Racial Groups into One Canadian Citizenship* ; The Federation of Russian-Canadians, *Education and the New Canadians of Russian Origin* (Records of the Royal Commission on Education, RG 18-131, 16-18, Briefs 121-199. B249572-B249574, Archives publiques de l'Ontario (APO)).

géographie favorise l'identification au territoire canadien caractérisé par son immensité et ses ressources inépuisables ; enfin, l'appartenance du Canada à l'Empire, puis au Commonwealth, grâce à la participation militaire et à l'effort de guerre des Canadiens pour soutenir la mère patrie, est exaltée dans un récit épique (Batut, 2006 : 96).

Ainsi, l'école séparée prône un « assimilationnisme civique » pour les enfants immigrants afin qu'ils puissent agir plus tard dans la société à titre de citoyens canadiens et de fervents catholiques. En repoussant les frontières de l'ethnicité à une communauté de foi catholique et de culture canadienne, unie par une langue véhiculaire – l'anglais –, les écoles séparées ont contribué à la construction d'une identité *Canadian English Catholic,* qui définit aujourd'hui le catholicisme torontois et canadien, particulièrement à l'extérieur du Québec (McGowan, 2008).

La Commission des écoles catholiques de Montréal : l'assimilationnisme différentialiste

Fondée en 1846, la Commission des écoles catholiques de Montréal (CECM) revêt, contrairement à son homologue de Toronto, un caractère bilingue. À partir des années 1850, la CECM accueille les enfants de langue anglaise originaires d'Irlande. Pour répondre aux besoins de l'ensemble de sa clientèle, la CECM ouvre des écoles françaises, anglaises et bilingues où l'anglais et le français sont enseignés à parts égales. En 1928, à la suite des demandes répétées des membres de la minorité irlandaise, deux secteurs d'enseignement, l'un français et l'autre anglais, sont créés et disposent ainsi d'une autonomie pédagogique et administrative. La CECM incarne donc la double mouvance du catholicisme canadien, francophone et anglophone, qui se rapporte à une histoire, à des coutumes, à des traditions et à des valeurs nationales distinctes (Gagnon, 1996b ; Lanouette, 2004).

La CECM constitue le meilleur exemple de ce « cloisonnement ethnique » décrit par l'historien Paul-André Linteau. Le caractère binaire du catholicisme montréalais – canadien-français et irlandais – a amené la CECM non seulement à reconnaître aux anglo-catholiques un statut particulier qui se concrétise par une autonomie administrative et pédagogique dans les années 1930, mais aussi à adopter une politique de laisser-faire linguistique. La CECM cherche d'abord à assurer une éducation catholique à tous les enfants qui fréquentent ses écoles, que ce soit en français ou en anglais. Il ne lui vient pas à l'esprit de consacrer la primauté d'une des deux langues d'enseignement à l'endroit des immigrants, ce qui pourrait constituer un facteur de division entre les deux groupes linguistiques principaux (Behiels, 1986; Taddeo et Taras, 1987; Gagnon, 1996a, 1997, 1999; Anctil, 1999; Lanouette, 2004; Croteau, 2006a; Andrade, 2007 : 475-476).

En fait, la CECM pratique une forme de « différentialisme » avant la lettre en accordant même une certaine autonomie culturelle aux groupes d'immigrants qui fréquentent ses écoles[18] (Todd, 1994 : 17-20). La CECM leur permet de recevoir l'enseignement du catéchisme dans leur langue maternelle jusqu'en deuxième année. Cet enseignement est parfois même toléré jusqu'en quatrième année pour les Italiens, membres du groupe ethnique le plus important après les Canadiens français et les Irlandais. La CECM favorise donc un assimilationnisme plus religieux que linguistique au catholicisme montréalais, alors que, contrairement aux commissions scolaires torontoises, aucune langue d'enseignement n'est prescrite aux immigrants, du moins officiellement. De plus, la CECM autorise l'enseignement des langues maternelles aux immigrants dans le but de raffermir ou de consolider leur appartenance au catholicisme. Ainsi, la canadianisation des immigrants passe d'abord par le catholicisme plutôt que par l'assimilation à la culture majoritaire.

Ces aménagements linguistiques sont instaurés au tournant du XXe siècle, alors que de nouveaux contingents d'immigrants se pressent

---

[18]   L'expression revient à l'auteur français Emmanuel Todd, pour qui le différentialisme représente une vision du monde qui postule l'inégalité des groupes humains et prône leur séparation d'après des critères particularistes tels que l'apparence physique, la langue, la culture, la religion ou certaines catégories sociales. Cependant, il insiste sur le fait que le modèle anglo-saxon, qui a contribué à la naissance du multiculturalisme en Grande-Bretagne, au Canada, en Nouvelle-Zélande et en Australie, se distingue en favorisant la reconnaissance des différents groupes humains dans une société, sans reconnaître la supériorité de l'un sur les autres. Il s'oppose aux autres différentialismes répertoriés par l'auteur (la citoyenneté athénienne, la nation allemande, l'appartenance ethnique japonaise, le système hindouiste des castes, la conceptualisation de la société sikhe en ordres religieux et le différentialisme traditionnel juif), qui ont tendance à s'appuyer sur un groupe humain particulier autour duquel s'organise l'univers. Il nous apparaît que les politiques pratiquées par la CECM envers les immigrants réfèrent au différentialisme anglo-saxon.

aux portes des écoles catholiques. Ce sont souvent les congrégations religieuses chargées de les accueillir ou des curés de leur nationalité qui demandent aux commissaires de leur ouvrir des classes dans leur langue maternelle au sein des écoles existantes[19]. L'administration scolaire encourage l'enseignement des langues maternelles qui, d'après elle, renforce la foi catholique des nouveaux arrivants et les protège du prosélytisme protestant :

> Le groupement des élèves, suivant la langue parlée, est une preuve de la largeur de vue des commissaires d'école qui n'oublient pas que l'enseignement religieux à la base de l'éducation catholique dans cette province est mieux compris s'il est tout d'abord donné dans la langue que l'enfant a apprise et qu'il parle au foyer paternel[20].

Après la deuxième année, ces enfants se dirigent vers les classes de langue anglaise ou française selon l'école qu'ils fréquentent. Dans les faits, cependant, ils choisissent en grande majorité l'éducation en anglais, qu'ils perçoivent comme la clé de la réussite économique et de la mobilité sociale. Au fur et à mesure que le nombre d'enfants d'immigrants grandit à la CECM, cette dernière doit faire face à des demandes fréquentes de nouvelles classes anglaises. Parfois, en l'absence de classes ou d'écoles anglaises, certains parents immigrants abjurent leur foi pour envoyer leurs enfants dans le réseau scolaire protestant. Ce phénomène inquiète au plus haut point les autorités de la CECM, d'autant plus que les parents brandissent parfois cette menace pour convaincre la commission scolaire d'aménager des classes anglaises dans les écoles françaises[21].

---

[19]   Voir les archives de la Commission scolaire de Montréal (CSDM) : 11 septembre 1903, Correspondance Eugène-Urgel Archambault, D. 1900-1903, Fonds Eugène-Urgel Archambault. Fonds des écoles. École Notre-Dame-de-la-Défense, Boîte 211. École Notre-Dame-du Mont-Carmel, Boîtes 486-487-491. *Rapport financier de la Commission des écoles catholiques de Montréal pour l'exercice 1907-1908*, 1908, p. 4 ; *Rapport financier de la Commission des écoles catholiques de Montréal pour l'exercice 1913-1914*, 1914, p. 4 ; *Rapport financier de la Commission des écoles catholiques de Montréal pour l'exercice 1915-1916*, 1916, p. 7 ; Rapports financiers. Service des finances. District Centre, Rapport du directeur et secrétaire, 1918-19 à 1922-23, Districts (anciens) CECM (plan général), ACSDM.

[20]   District Centre, Rapport du directeur et secrétaire, 1918-19 à 1922-23, Districts (anciens) CECM (plan général), ACSDM.

[21]   Entre 1930 et 1938, le contrôleur des taxes J.-R. Thibodeau relève 2 865 cas d'apostasie de la part de catholiques en faveur de la religion protestante. Il note aussi que ce sont majoritairement des Canadiens français (1 797), suivis des Italiens (655) et

À partir du milieu des années 1930, la CECM adopte une série de mesures qui visent d'une part à restreindre l'enseignement des langues maternelles et, d'autre part, à encourager l'aménagement de classes ou la construction d'écoles de langue anglaise dans les quartiers à forte proportion immigrante[22]. Elle saisit l'occasion en 1930, lorsqu'elle doit répondre à la demande d'un groupe de Slovaques qui souhaitent transférer leurs enfants dans des écoles anglaises. Elle choisit « de placer les petits slovaques, autant que la chose peut se faire, dans les écoles anglaises les plus rapprochées de leur domicile », mais aussi de ne pas inscrire au programme l'enseignement de la langue slovaque en rappelant que les écoles de cette commission scolaire sont essentiellement bilingues, françaises ou anglaises[23].

C'est un tournant majeur dans la politique de la CECM, qui facilite, voire même encourage le transfert des immigrants au secteur anglais. En effet, dans l'esprit des commissaires de la CECM, seule une éducation en anglais permettra de retenir les enfants d'immigrants dans les écoles catholiques et de rapatrier ceux que les parents ont inscrits aux écoles protestantes. Il est recommandé que « des classes anglaises soient ouvertes dans tous les districts français où la population étrangère est dense. Ces classes devront rester ouvertes, même si le nombre d'élèves inscrits ne rencontre pas les exigences des règlements dès la première année[24] ». De plus, en se basant sur sa décision à propos des Slovaques, la CECM limite considérablement l'enseignement des langues maternelles en ne reconnaissant plus que deux langues d'enseignement officielles.

---

des Lithuaniens, des Polonais et des Ukrainiens (246) qui renoncent à leur religion (Lettre de Walter Bossy à J.-R. Thibodeau, contrôleur des finances, 11 novembre 1941, Rapports et mémoires de Walter J. Bossy de 1933 à 1950, Taxes des neutres, Taxes, Service des finances, ACSDM).

[22] *Rapport de J. M. Manning, directeur des études, à Victor Doré, président général, Re Re : demandes de classes anglaises pour les élèves de langues étrangères,* 25 avril 1935, Écoles et classes bilingues de 1890 à 1985, Bureau des études, Comité des Néo-Canadiens, Bureau de l'accueil et de l'admission. ARC-E1 S46 T4- 6152, ACSDM ; *Rapport de J.-R. Thibodeau, contrôleur des finances, à Hector Perrier, secrétaire provincial, 17 novembre 1941,* Taxes des neutres, Taxes, Service des finances, ACSDM.

[23] Commission pédagogique, 3 septembre 1930, Livre des délibérations des commissaires (LDC), ACSDM.

[24] *Rapport de J.-R. Thibodeau, contrôleur des finances, à Hector Perrier, secrétaire provincial, 17 novembre 1941,* Taxes des neutres, Taxes, Service des finances, ACSDM.

Cette nouvelle politique, qui accélère une tendance déjà amorcée, modifie complètement le visage de la CECM. Au début des années 1930, les écoles françaises et anglaises se partagent également les enfants d'origine immigrante. Quinze ans plus tard, les deux tiers d'entre eux fréquentent les écoles anglaises (voir le graphique 5).

Graphique 5
Répartition des enfants néo-canadiens qui fréquentent les écoles anglaises et françaises de la CECM, 1930-1961 (années choisies)

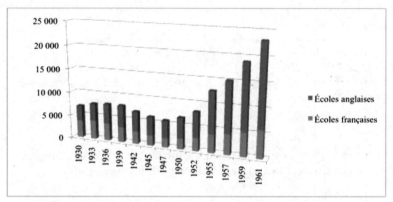

Sources : Statistiques, Service de la statistique, Archives de la Commission scolaire de Montréal.

Il n'est donc pas étonnant de constater que la croissance du secteur anglais de la CECM est principalement alimentée par les inscriptions des enfants néo-canadiens – comme on les appelle à l'époque –, qui composent près du tiers des effectifs étudiants dans les années 1940 (voir le graphique 7). À l'opposé, le secteur français se caractérise par sa grande homogénéité en accueillant presque exclusivement des élèves francophones (voir le graphique 6).

Graphique 6
Les effectifs scolaires du secteur français de la CECM selon l'origine
ethnique et la langue, 1930-1961 (années choisies)

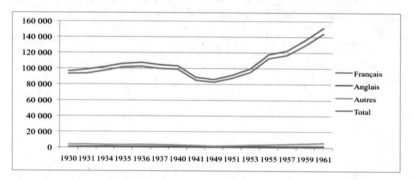

Sources : Statistiques, Service de la statistique, Archives de la commission scolaire de Montréal.

Graphique 7
Effectifs scolaires du secteur anglais de la CECM selon l'origine
ethnique et la langue, 1930-1961 (années choisies)

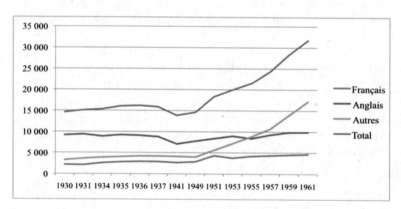

Sources : Statistiques, Service de la statistique, Archives de la commission scolaire de Montréal.

Force est de constater que les milieux scolaires francophones n'ont pas fait de l'intégration des immigrants à la société majoritaire une priorité ou une préoccupation importante, contrairement aux écoles publiques et séparées de Toronto. En fait, il a semblé aux administrateurs scolaires de la CECM que l'œuvre de canadianisation et de catholicisation des immigrants serait en de meilleures mains au sein des écoles anglaises. La CECM a laissé peu à peu le champ libre au secteur anglophone pour assurer l'éducation des nouveaux arrivants.

Cependant, pour bien comprendre l'échec de l'intégration des immigrants au sein de la société canadienne-française, d'autres facteurs doivent être invoqués, notamment les faiblesses pédagogiques et structurelles du milieu scolaire francophone. En effet, dans les années 1930, à la suite de longs débats, les instances pédagogiques de la CECM retardent progressivement l'enseignement de l'anglais dans les écoles françaises de la 3e à la 6e année, tandis que le français est prévu au programme d'études dans les écoles anglaises dès la 3e année. Une mesure qui ne manque pas de servir de repoussoir pour les parents néo-canadiens qui veulent que leurs enfants acquièrent la maîtrise de l'anglais à des fins de promotion sociale. Ainsi, le bilinguisme tant convoité s'acquiert, paradoxalement, davantage dans les écoles anglaises que françaises (Gagnon, 1996a : 177-182).

De plus, en 1930, le secteur anglais de la CECM adopte le programme d'études des *high schools* qui achemine ses étudiants vers l'ensemble des études supérieures. Les francophones, quant à eux, ont accès au primaire supérieur, une « filière tronquée », pour reprendre l'expression de l'historien Robert Gagnon, qui, en l'absence du latin – la porte d'entrée des universités –, mène aux écoles techniques et aux facultés les moins prestigieuses. Cet accès inégal aux études supérieures ne plaide pas en faveur de l'école française aux yeux des immigrants[25] (Gagnon, 1996a : 152-163).

---

[25]   À peine 270 élèves néo-canadiens sur 7 764 inscriptions fréquentent les classes primaires complémentaires (8e et 9e année), soit 3 % des effectifs totaux. Au primaire supérieur (10e, 11e et 12e année), 3 061 des 3 161 élèves inscrits dans ces classes sont canadiens-français, soit 99 %. Dans les *high schools*, les élèves anglo-catholiques composent environ 45 % de la clientèle scolaire, tandis que les Néo-Canadiens représentent 35 % des inscriptions. Les *high schools* exercent aussi un puissant attrait sur les familles francophones puisqu'on relève 671 élèves canadiens-français sur 3 276, soit 20 % des inscriptions. Par ailleurs, la filière classique, fort prisée par les élites canadiennes-françaises, trouve peu de preneurs parmi les Néo-Canadiens (La Commission des écoles catholiques de Montréal, Le Comité des Néo-Canadiens, *Rapport annuel, 1951-1952*, p. 5, ARC – E. 1. S46. T4. 5441, ACSDM).

Enfin, le milieu scolaire franco-catholique n'a pas toujours constitué un environnement accueillant pour les immigrants. Parfois, des mesures ont pu être prises par les directions d'école – qui bénéficient d'une certaine autonomie à l'échelle locale en raison « des motifs de facilité, de zèle religieux ou d'indifférence » – pour détourner les enfants néo-canadiens vers l'école anglaise, bien qu'il soit difficile d'estimer l'étendue de ce phénomène (Andrade, 2007 : 476).

Tous ces facteurs ont pesé lourd dans l'échec de l'intégration des immigrants à la culture majoritaire – un cas unique comparé à la scène torontoise. Au cours de la période qui s'étend de 1945 à 1960, les ténors nationalistes canadiens-français, convaincus que désormais la question de l'intégration des immigrants constitue un enjeu de première importance pour assurer l'avenir culturel du Québec et même du Canada français, réévalueront leur attitude vis-à-vis des immigrants et militeront pour l'instauration d'une politique efficace de la CECM afin de les intégrer à la société francophone (Behiels, 1986 ; Taddeo et Taras, 1987 : 59-90 ; Andrade, 2007).

Le Protestant Board School Commissioners of the City of Montreal : l'assimilationnisme protectionniste

Le système d'éducation protestant de Montréal se trouve au confluent de deux courants. D'une part, il s'inspire du modèle nord-américain de l'école publique, présent aux États-Unis et dans les provinces canadiennes-anglaises, qui prétend au non-sectarisme et vise à assimiler les immigrants à une *anglo-conformity* (MacLeod et Poutanen, 2004). Dès la fin du XIXe siècle, les dirigeants scolaires protestants s'assignent la mission de canadianiser les immigrants non catholiques pour, entre autres, accroître leur influence dans le champ éducatif montréalais.

D'autre part, les protestants de Montréal et du Québec vivent une expérience unique, inconnue de leurs coreligionnaires sur le continent nord-américain, celle d'une situation minoritaire au sein d'une province catholique et française. Tout au long de la période étudiée, les commissaires du Protestant Board School Commissioners of the City of Montreal (PBSCCM) valorisent la culture britannique et la religion protestante dans une atmosphère d'état de siège et défendent le caractère confessionnel de leurs écoles, qui constituent un rempart contre les influences et les manifestations du « catholicisme intégriste », l'ultramontanisme, considéré comme opposé aux valeurs de la Modernité et du Progrès (Mair, 1981a, 1981b; Magnuson, 2005).

Face à ces deux courants, qui peuvent apparaître contradictoires, le PBSCCM adopte des politiques à « deux vitesses », destinées à canadianiser les immigrants tout en aménageant des « verrous de sûreté » pour préserver le caractère britannique et protestant de ses écoles et limiter leur influence sur les plans administratif et pédagogique. Cette double visée provoquera des tensions au cours du premier tiers du xxᵉ siècle, alors que le PBSCCM accueille la majorité des enfants des immigrants à Montréal composée surtout de Juifs (Croteau, 2006b).

Dans les années 1860, les protestants ressentent de nombreuses appréhensions face à l'instauration du régime confédératif qui consacre leur statut minoritaire au sein d'une province à prédominance française et catholique. Les représentants des protestants mènent une vaste campagne de pression pour se faire accorder par les Pères de la Confédération la protection constitutionnelle de leurs droits scolaires. De plus, au lendemain de la Confédération, les élites éducatives protestantes – les dirigeants du PBSCCM en tête – militent auprès du nouveau gouvernement provincial afin d'obtenir diverses concessions politiques qui leur assurent l'autonomie financière, administrative et pédagogique de leur système scolaire (Mair, 1981a, 1981b; Charland, 2000 : 102-114; Magnuson, 2005 : 35-68).

En dépit de ces concessions, la crainte d'un coup de force de la majorité contre leurs institutions éducatives persiste, et les élites protes-tantes, dès la fin du xixᵉ siècle, cherchent à édifier un système scolaire qui regrouperait tous les non-catholiques afin de contrebalancer l'influence de l'Église catholique dans le champ de l'éducation. Tout au long de la période étudiée, les élites éducatives protestantes tentent de se faire décerner par le gouvernement provincial la responsabilité d'éduquer tous les non-catholiques et de percevoir leurs taxes scolaires (Croteau, 2006b).

Pour les élites éducatives protestantes, le terme « protestant » est factice puisqu'il réfère, en fait, à tous les non-catholiques :

> It is a question of fundamental principle, respecting which no Protestant, whatever may be his religious views, has any doubt. Society is divided into two classes, the one Roman Catholic, the other all persons who will not accept Roman Catholic doctrine. Amongst these latter there is neither uniformity of religious opinions nor

uniformity as to worship. The class embraces every phase of belief, and includes agnostics and atheists, if such there is, and these require education quite as much as do the Roman Catholics. The word Protestant has been used as a term of convenience, and should be defined as Non-Roman Catholic in order to meet the full requirements of the case[26].

Afin de réaliser ses visées, le PBSCCM approche d'abord la communauté juive, constituée de quelques centaines d'âmes et regroupée autour de deux congrégations : la Congrégation hispano-portugaise et la Congrégation germano-polonaise. En 1877 et 1878, des ententes sont signées qui stipulent que les congrégations verseront leurs taxes scolaires au PBSCCM, tandis que celui-ci allouera une subvention à leurs écoles religieuses aménagées dans le sous-sol de leur synagogue[27]. Ces ententes sont d'autant plus facilitées que les dirigeants de la communauté juive, surtout d'origines anglaise et américaine, souhaitent s'associer tout naturellement au secteur éducatif protestant pour favoriser leur intégration à la société anglo-canadienne, riche en promesses d'ascension sociale et à laquelle ils sont déjà rattachés culturellement.

Au début du xixe siècle, l'augmentation de la population juive à Montréal amène les congrégations juives et le PBSCCM à signer une entente au caractère moins temporaire. En 1903, à la demande des deux parties, le gouvernement provincial adopte une loi qui assure aux enfants juifs l'accès aux écoles protestantes et leur accorde certaines garanties religieuses comme l'exemption aux périodes allouées à l'enseignement de la morale chrétienne et le droit de s'absenter lors des fêtes religieuses juives. En échange, le PBSCCM obtient le versement des taxes scolaires

---

[26] « Il s'agit d'une question de principe fondamentale qui ne pose aucun doute à tout protestant, quelles que soient ses vues religieuses. La société est divisée en deux classes, l'une, catholique romaine, l'autre composée de toutes les personnes qui n'acceptent pas la doctrine catholique romaine. Parmi ces dernières, il n'existe aucune uniformité des opinions religieuses ni d'uniformité en matière de culte. Cette classe comprend tous les degrés de la foi, notamment agnostique et athée, le cas échéant, et celle-ci exige d'être formée au même titre que la classe catholique romaine. Le terme protestant a été employé à des fins utiles et doit se définir comme étant non catholique romain afin de répondre à tous les besoins dans ce cas » (« Proposed Consolidation of the Acts Relating to Public Instruction, Province of Quebec », *The Educational Record*, vol. 1, nº 4 (novembre 1881), p. 461). (Nous traduisons.)

[27] Protestant Board School Commissioners Minute Book, 7 juin 1877 ; Protestant Board School Commissioners Minute Book, 10 janvier 1878, Protestant Board School Commissioners, Archives du English Montreal School Board (AEMSB).

des propriétaires juifs[28] (Rexford, 1928 : 17-22). Lors de l'adoption de la loi de 1903, les commissaires protestants ne cachent pas leur intention d'accueillir les immigrants qui arrivent à Montréal, à condition d'obtenir les revenus pour en assumer la responsabilité financière :

> *Indeed, it is morally certain that with Montreal as a seaport of growing importance there will be landed here from Europe an increasing number of people of various races, necessarily of limited means, who, it is morally certain, will be to a great extent an educational charge upon this Board. In the absence of the single system of public schools which generally obtains on this continent, this constitutes an unjust inequality to our prejudice. At the same time we hereby readily declare our willingness to educate the children of all citizens who may come to us, whatever their race or religion, provided we have the means to do so, and consider that necessary steps be taken at an early date to secure the necessary revenue for the purpose*[29].

Au même moment, les commissaires du PBSCCM aménagent des « verrous de sûreté » pour protéger le caractère britannique et protestant qui, selon eux, est menacé par la présence d'enfants non chrétiens, entre autres. Ils s'opposent à la nomination de commissaires juifs jusqu'au milieu des années 1960. Par ailleurs, ce n'est qu'en 1913 que le PBSCCM accepte d'embaucher au compte-gouttes des instituteurs juifs, une discrimination qui se termine « officiellement » dans les années 1930. Enfin, la ségrégation des enfants juifs et protestants dans les classes et les écoles se pratique couramment afin de s'assurer que les écoliers protestants sont éduqués dans une atmosphère chrétienne (Crestohl, 1926).

---

[28]   Protestant Board School Commissioners Minute Book, 2 mars 1903, Protestant Board School Commissioners, AEMSB. « Loi amendant les lois concernant l'instruction publique relativement aux personnes professant la religion judaïque », *Statuts du Québec*, chapitre 16, 25 avril 1903 (3 Édouard VII).

[29]   « Il est en effet moralement certain que Montréal étant un port d'importance croissante, les débarquements d'un nombre croissant de personnes de différentes races venues d'Europe, dont les moyens sont nécessairement limités, constitueront dans une large mesure un poids en matière d'éducation sur cette commission. En l'absence d'un système unique d'écoles publiques, dont on témoigne habituellement sur ce continent, cela constitue une inégalité injuste qui nous porte préjudice. Parallèlement, nous déclarons par le fait même notre volonté d'éduquer les enfants de tous les citoyens qui nous rejoignent, quelle que soit leur race ou leur religion, et nous considérons que des mesures préliminaires doivent être prises afin d'assurer un revenu adéquat à ces fins » (Protestant Board School Commissioners Minute Book, 2 mars 1903, Protestant Board School Commissioners, AEMSB). (Nous traduisons.)

Dans les années 1920, les commissaires protestants tentent d'étendre les dispositions de la loi de 1903 aux autres non-catholiques et non-protestants, mais le gouvernement québécois fait, cette fois-ci, la sourde oreille. Il reste que les Chinois, les Grecs et les Russes orthodoxes dans leur quasi-majorité choisissent de fréquenter l'école protestante, qui leur apparaît comme un meilleur tremplin pour la mobilité sociale (Gagnon, 1997 ; Gagnon, 1999. Ils optent aussi pour l'école protestante en raison des programmes d'études qui font moins référence aux dogmes d'une foi en particulier que ceux des écoles catholiques[30]. Ce groupe d'enfants composera, dans les années 1920 et 1930, presque un dixième de la clientèle scolaire du PBSCCM.

Dans les années 1920, le pacte scolaire signé entre les protestants et la communauté juive menace d'éclater. La présence de non-protestants, constituant plus de 40 % de la clientèle scolaire, inquiète les élites protestantes, qui y voient une menace pour le caractère chrétien de leurs écoles (voir le graphique 8). Les dirigeants scolaires protestants rendent responsable la communauté juive des déficits du PBSCCM, en raison de sa faible contribution au financement de l'organisme. Il faut rappeler que les revenus des commissions scolaires sont essentiellement basés sur le prélèvement par cotisation d'une taxe scolaire sur les propriétés foncières.

---

[30] D'après l'historien Robert Gagnon, le mode de financement scolaire, basé sur le prélèvement d'une taxe par cotisation sur les propriétés foncières, dont les revenus sont répartis d'après la religion des propriétaires, avantage les protestants, en général plus fortunés que les catholiques. Ainsi, les écoles protestantes sont mieux équipées et offrent des services éducatifs beaucoup plus variés que les écoles catholiques. Ces disparités dans la qualité et la variété des services éducatifs ne manquent pas d'influer sur la décision des immigrants en faveur de l'école protestante. Le choix de l'école protestante s'explique aussi par les avantages socioéconomiques que procure l'apprentissage de la langue anglaise. Enfin, estime-t-il, les *high schools*, fondées dans les années 1870, dirigent leurs finissants vers l'ensemble des professions libérales, le commerce et les sciences. Le primaire supérieur, inauguré à la CECM beaucoup plus tardivement, dans les années 1920, pour les jeunes francophones, prépare à un nombre limité de professions et de métiers. De plus, un autre élément considéré par d'autres historiens, l'enseignement religieux au PBSCCM, tend à être beaucoup plus général qu'à la CECM et se voit accorder une part moins importante dans le programme d'études. Il se limite surtout à une morale chrétienne qui ne fait pas référence aux dogmes religieux et enseigne plutôt les principes du christianisme. Cet enseignement apparaît moins rebutant pour les autres chrétiens non protestants – et même les juifs qui peuvent s'en accommoder – que celui dispensé dans les écoles catholiques qui accordent une part importante au catéchisme.

Les Juifs, immigrés récemment et peu fortunés, comptent peu de propriétaires fonciers dans leurs rangs. Dans ces conditions, le PBSCCM réclame l'abrogation de la loi de 1903, ce qui laisserait la communauté juive sans droits scolaires[31] (Rexford, 1928 : 29-36).

Graphique 8
Les effectifs scolaires du PBSCCM selon l'origine confessionnelle, 1902-1962

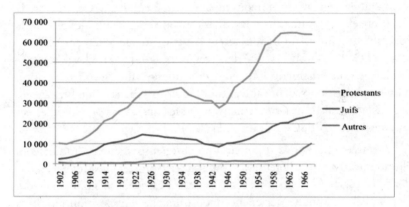

Sources : Protestant Board School Commissioners of the City of Montreal, Annual Report 1902-1968, Archives du English Montreal School Board.

La situation demeure d'autant plus complexe que la communauté juive est divisée sur la question des *uptowners* et des *downtowners*. Les premiers, surnommés ainsi parce qu'ils habitent les riches quartiers en haut de la « Montagne », représentent les élites sociales et politiques juives d'origines britannique et américaine. Signataires de la loi de 1903, ils réclament un véritable système scolaire public, démocratique et égalitaire qui favoriserait l'intégration à la société anglo-canadienne. Les seconds habitent les quartiers ouvriers en bas de la « Montagne ». Ils font partie des masses populaires juives, issues d'une immigration récente en provenance

---

[31]   Entre 1892 et 1902, le nombre d'élèves juifs au PBSCCM passe de 344 à 1 775, puis atteint 13 954 près de vingt ans plus tard. Notons, toutefois, que la contribution des propriétaires juifs aux revenus du PBSCCM ne s'accroît pas au même rythme. Ainsi, la proportion des élèves juifs au PBSCCM s'élève à environ 40 % pendant les années 1920, tandis que les propriétaires juifs ne fournissent que 20 à 25 % des revenus de la taxe scolaire.

d'Europe centrale, revendiquant plutôt la création d'un système scolaire public juif qui assurerait la survivance de la culture et de la religion juives (Anctil, 1988 : 165-209 ; Corcos, 1997 : 69-112).

Pour résoudre ce contentieux, le gouvernement libéral de Louis-Alexandre Taschereau met sur pied, en 1924, une commission royale d'enquête qui recommande de consulter les tribunaux afin de statuer sur les droits scolaires des Juifs. Après une longue consultation, le Conseil privé de Londres, la plus haute instance judiciaire de l'Empire britannique, reconnaît la légalité d'une commission scolaire juive[32]. Cependant, la situation est envenimée par les divisions entre les deux factions de la communauté juive, qui ne souhaitent pas le même dénouement à la crise scolaire. Devant l'impossibilité d'arriver à une entente avec les différentes parties, le gouvernement vote, en 1930, une loi qui prévoit la création d'une commission scolaire juive, tout en autorisant les membres de cet organisme, choisis majoritairement parmi les *uptowners,* à contracter des ententes avec le PBSCCM ou la CECM[33].

L'entrée d'un nouveau joueur, non chrétien par ailleurs, inquiète les élites éducatives et religieuses, catholiques et protestantes, qui n'entendent pas partager leurs prérogatives scolaires avec ce nouveau venu. L'épiscopat catholique déclenche une campagne d'opposition aux forts accents antisémites, soutenue par la presse clérico-nationaliste, afin de contrer le projet de loi, qui menace, selon lui, le caractère chrétien du système d'éducation[34]. Finalement, à la suite de tractations, les membres les plus influents de la communauté juive réussissent à signer une entente avec le PBSCCM qui consacre le retour au *statu quo.* De plus, le PBSCCM obtient de nouveaux fonds du gouvernement provincial, grâce à un partage avantageux de la taxe scolaire, afin d'assumer le coût de l'éducation des enfants juifs[35].

Cet épisode révèle que, malgré toute l'ambiguïté de ses politiques, le PBSCCM parvient à maintenir les contradictions de son modèle d'inté-

---

[32] *Rapport de la Commission spéciale d'éducation*, 1925, p. 19-44, Commissions royales d'enquête, ACSDM.

[33] *Bill Loi concernant l'éducation de certains enfants dans Montréal et Outremont*, p. 3-5, Bill 32, Sujet : Non-Catholiques Non-Protestants, DHI 179, ACSDM.

[34] Voir le discours de l'archevêque de Montréal, Mgr Georges Gauthier (1930 : 185).

[35] *Bill Loi concernant l'éducation de certains enfants dans Montréal et Outremont*, Bill 32, Sujet : Non-Catholiques Non-Protestants, DHI 179, ACSDM.

gration scolaire et à s'imposer comme le siège du pluralisme culturel et religieux à Montréal. Force est de constater que la présence d'enfants non protestants au PBSCCM, qui constituent entre le tiers et près de la moitié des effectifs scolaires selon les périodes, a amorcé dans les décennies suivant la Seconde Guerre mondiale un processus de sécularisation tranquille, mais tout de même bien réel, qui a forcé les commissaires à délaisser graduellement leur profession de foi envers la confessionnalité scolaire. En effet, la diversité culturelle et religieuse au PBSCCM devient un phénomène incontournable et de plus en plus accepté au sein même de la minorité protestante au cours des décennies suivantes.

ဆ ભ

Entre 1900 et 1945, les commissions scolaires torontoises et montréalaises adoptent des politiques basées sur une perspective assimilationniste, qui visent à fondre les immigrants dans le creuset canadien. La composition ethnoculturelle et religieuse de chacune des métropoles et le mode de gestion sociale qui en découle joueront pour beaucoup dans la formulation des modèles d'intégration proposés – ou plutôt imposés – aux immigrants. À Toronto, les modèles d'intégration scolaire reflètent la dynamique existant entre la majorité protestante et la minorité catholique. Les écoles publiques et les écoles séparées se sont partagé la clientèle immigrante qui leur revenait, selon des balises religieuses, afin d'assurer la « canadianisation » d'après leurs paramètres identitaires respectifs. Ainsi, deux modèles de citoyenneté apparaîtront : l'un faisant référence à une citoyenneté canadienne majoritaire et l'autre se rapportant à une identité, elle aussi canadienne-anglaise, mais minoritaire avec une composante catholique.

La séparation institutionnelle entre les deux majorités ethnoculturelles et religieuses à Montréal a favorisé une tout autre évolution des politiques des commissions scolaires à l'intention des immigrants. À l'instar de Toronto, les commissions scolaires montréalaises se sont partagé la clientèle immigrante : les catholiques ont fréquenté la CECM et, en majorité, ses écoles de langue anglaise, tandis que les non-catholiques ont opté pour le PBSCCM. L'absence d'une volonté assimilatrice de part et d'autre a consacré le développement d'un espace identitaire distinct pour les groupes minoritaires issus de l'immigration, dont on perçoit le dynamisme encore aujourd'hui, notamment grâce à un réseau d'écoles privées confessionnelles (juives, grecques, arméniennes et musulmanes) subventionné en partie par le gouvernement provincial.

Cependant, les succès mitigés du système scolaire francophone dans l'intégration des immigrants amèneront une remise en question à la fin des années 1940, puis, ultimement, l'éclatement des modèles d'intégration existants, qui seront remplacés par une série de politiques linguistiques du gouvernement provincial dans les années 1970. Ces politiques feront du français la langue d'enseignement des immigrants. L'État québécois, soutenu par les milieux scolaires francophones, met ainsi fin au laisser-faire linguistique qui perdurait depuis le début du XXe siècle et adopte une politique de « franco-conformité » destinée à favoriser l'intégration des immigrants à la société majoritaire (Juteau, 2000).

L'immigration massive, entre les années 1940 et 1960, force les élites montréalaises et torontoises du milieu de l'éducation à réviser leurs politiques en raison de la force montante que constituent les Néo-Canadiens. Ces derniers, toujours plus nombreux, sont bien décidés à participer à la formulation des modèles d'intégration scolaire. C'est dans ce contexte que les commissions scolaires torontoises et montréalaises délaisseront graduellement l'approche assimilationniste pour un modèle plus « multiculturaliste », qui favorise une appartenance citoyenne plus respectueuse des différences culturelles et religieuses.

À ce titre, l'étude des modèles d'intégration scolaire, qui, entre 1945 et 1970, passent de la transmission d'un conformisme culturel et religieux à la promotion d'une appartenance citoyenne, reste à faire. Elle révélerait sans doute la fonction sociale du système d'éducation en tant qu'espace de dialogue, d'échange et de négociation – et parfois d'affrontement – pour formuler et reformuler les modèles d'intégration scolaire entre le monde de l'éducation, les classes dirigeantes de la société civile et les représentants des communautés culturelles.

BIBLIOGRAPHIE

Archives

Archives de la Commission scolaire de Montréal

Archives du English Montreal School Board

Archives du Roman Catholic Archdiocese of Toronto

Archives du Toronto Board of Education

Archives du Toronto Catholic District School Board

Archives publiques de l'Ontario

Publications

« 1200 Foreigners in Night Schools: Canadians Being Made Here by Education Board », *The Mail and Empire*, 7 novembre 1929.

ANCTIL, Pierre (1984). « Double majorité et multiplicité ethnoculturelle à Montréal », *Recherches sociographiques*, vol. 25, n° 3, p. 441-456.

ANCTIL, Pierre (1988). *Le rendez-vous manqué : les Juifs de Montréal face au Québec de l'entre-deux-guerres*, Québec, Institut québécois de recherche sur la culture.

ANCTIL, Pierre (1999). « Rien de plus qu'une tolérance légale », *Le Devoir*, 6 mai.

ANDRADE, Miguel Simão (2007). « La Commission des écoles catholiques de Montréal et l'intégration des immigrants et des minorités ethniques à l'école française de 1947 à 1977 », *Revue d'histoire de l'Amérique française*, vol. 60, n° 4 (printemps), p. 455-486.

ARCHBISHOP OF TORONTO (1924). *School Problems*, Toronto, Février, Archives du Roman Catholic Archdiocese of Toronto, EDSP02.01.

BATUT, Laurent (2006). « Les écoles catholiques torontoises et l'intégration des "nouveaux Canadiens" au XXe siècle », dans Jean-Michel Lacroix et Paul-André Linteau (dir.), *Vers la construction d'une citoyenneté canadienne*, Paris, Presses Sorbonne Nouvelle, p. 87-100.

BEHIELS, Michael D. (1986). « The Commission des écoles catholiques de Montréal and the Neo-Canadian Question: 1947-63 », *Canadian Ethnic Studies*, vol. XVIII, n° 2, p. 38-64.

BERGER, Carl (1970). *The Sense of Power: Studies in the Ideas of Canadian Imperialism, 1867-1914*, Toronto, University of Toronto Press.

BURWASH, Nathaniel (1889). *The Cadet System in the Schools*, Toronto, Toronto Board of Education. *Curriculum. Cadet Training*, Archives du Toronto Board of Education.

CARELESS, James Maurice Stockford (1984). *Toronto to 1918: An Illustrated History*, Toronto, James Lorimer & Company, Publishers and National Museum of Man, collection « The History of Canadian Cities ».

CHARLAND, Jean-Pierre (2000). *L'entreprise éducative au Québec, 1840-1900*, Sainte-Foy, Les Presses de l'Université Laval.

CLARKE, Brian P. (1993). *Piety and Nationalism: Lay Voluntary Associations and the Creation of an Irish Catholic Community in Toronto, 1850-1895*, Kingston, McGill-Queen's University Press.

CORCOS, Arlette (1997). *Montréal, les Juifs et l'école*, Sillery, Éditions du Septentrion.

CRESTOHL, Leon David. (1926). *The Jewish School Problem in the Province of Quebec From its Origin to the Present Day: History and Facts*, [s. l.], Eagle Publishing Co. Ltd.

CROTEAU, Jean-Philippe (2006a). *Le financement des écoles publiques à Montréal (1869-1973) : deux poids, deux mesures*, thèse de doctorat (histoire), Montréal, Université du Québec à Montréal.

CROTEAU, Jean-Philippe (2006b). « Les immigrants et la Commission des écoles protestantes du Grand Montréal (1864-1931) », dans Jean-Michel Lacroix et Paul-André Linteau (dir.), *Vers la construction d'une citoyenneté canadienne*, Paris, Presses Sorbonne Nouvelle, p. 31-48.

CURTIS, Bruce (1987). *Building the Educational State: Canada West, 1836-1871*, London, Althouse Press.

DALY, George Thomas (1921). *Catholic Problems in Western Canada*, Toronto, The Macmillan Company of Canada Limited.

DALY, George Thomas (1927). *Catholic Action: Church and Country*, Toronto, The Macmillan Company of Canada Limited.

DEKAR, Paul R. (1988). « From Jewish Mission to Inner City Mission: the Scott Mission and Its Antecedents in Toronto, 1908 to 1964 », dans John S. Moir et C. T. McIntire (dir.), *Canadian Protestant and Catholic Missions, 1820s-1960s: Historical Essays in Honour of John Webster Grant*, Toronto Studies in Religion, New York, Peter Lang, p. 244-266.

DIXON, Robert T. (2007). *We Remember, We Believe: A History of Toronto's Catholic Separate School Boards, 1841 to 1997*, Toronto, Toronto Catholic District School Board.

GAGNON, Robert (1996a). *Histoire de la Commission des écoles catholiques de Montréal : le développement d'un réseau d'écoles publiques en milieu urbain*, Montréal, Éditions du Boréal.

GAGNON, Robert (1996b). *Anglophones at the CECM*, Montréal Commission des écoles catholiques de Montréal.

GAGNON, Robert (1997). « Pour en finir avec le mythe : le refus des écoles catholiques d'accepter les immigrants », *Bulletin d'histoire politique*, vol. 6, n° 1 (automne), p. 121-141.

GAGNON, Robert (1999). « Pour en finir avec le mythe », *Le Devoir*, 1-2 mai.

GAUTHIER, Mgr Georges (1930). « Discours de Mgr l'archevêque à l'oratoire Saint-Joseph : projet de la commission scolaire juive », *La Semaine religieuse de Montréal*, vol. LXXXIX, n° 12 (20 mars), p. 179-186.

GORDON, Milton M. (1961). « Assimilation in North America: Theory and Reality », *Daedalus*, vol. 90, n° 2 (printemps), p. 263-285.

GORDON, Milton M. (1964). *Assimilation in American Life: the Role of Race, Religion, and National Origins*, New York, Oxford University Press.

HARDY, E. A. (dir.) (1950). *Centennial Story: The Board of Education for the City of Toronto, 1850-1950*, Toronto, Thomas Nelson & Sons Limited.

HARDY, René (1999). *Contrôle social et mutation de la culture religieuse au Québec, 1830-1930*, Montréal, Éditions du Boréal.

HARNEY, Robert F. (1981). *Toronto: Canada's New Cosmopolite*, Toronto, The Multicultural History Society of Ontario, collection « Occasional Papers in Ethnic and Immigration Studies ».

HARNEY, Robert F. (dir.) (1985). *Gathering Place: Peoples and Neighbourhoods of Toronto 1834-1945*, Toronto, The Multicultural History Society of Ontario.

HARNEY, Robert F., et Harold TROPER (1975). *Immigrants: A Portrait of the Urban Experience, 1890-1930*, Toronto, Van Nostrand Reinhold Ltd.

HOUSTON, Susan E., et Alison PRENTICE (1988). *Schooling and Scholars in Nineteenth-Century Ontario*, Toronto, University of Toronto Press.

IGARTUA, Jose E. (2006). *The Other Quiet Revolution: National Identities in English Canada, 1945-71*, Vancouver, UBC Press.

JUTEAU, Danielle (2000). « Du dualisme canadien au pluralisme québécois », dans Marie McAndrew et France Gagnon (dir.), *Relations ethniques et éducation dans les sociétés divisées*, Paris, L'Harmattan, p. 13- 25.

LANOUETTE, Mélanie (2004). *Penser l'éducation, dire sa culture : les écoles catholiques anglaises au Québec (1928-1964)*, thèse de doctorat (histoire), Québec, Université Laval.

LEMON, James (1985). *Toronto since 1918: An Illustrated History*, Toronto, James Lorimer & Company, Publishers and National Museum of Man, collection « The History of Canadian Cities ».

LINTEAU, Paul-André (1982). « La montée du cosmopolitisme montréalais », *Question de culture*, nº 2, p. 23-54.

MacDONALD, Neil, et Alf CHAITON (1978). *Egerton Ryerson and His Times*, Toronto, Macmillan Company of Canada Limited.

MacLEOD, Roderick, et Mary Anne POUTANEN (2004). *A Meeting of the People: School Boards and Protestant Communities in Quebec, 1801-1998*, Montréal, McGill-Queen's University Press.

MAGNUSON, Roger P. (2005). *The Two Worlds of Quebec Education during the Traditional Era, 1760-1940*, London, The Althouse Press.

MAIR, Nathan H. (1981a). *Protestant Education in Quebec: Notes on the History of Education in the Protestant Public Schools of Quebec*, Québec, Comité protestant, Conseil supérieur de l'éducation.

MAIR, Nathan H. (1981b). *Recherche de la qualité à l'école publique protestante du Québec*, Québec, Comité protestant, Conseil supérieur de l'éducation.

McGOWAN, Mark G. (1989). « The De-Greening of the Irish: Toronto Irish-Catholic Press, Imperialism and the Forging of a New Identity, 1887-1914 », *Historical Papers = Communications historiques*, vol. 24, nº 1, p. 118-145.

McGOWAN, Mark G. (1999). *The Waning of the Green: Catholics, the Irish and Identity in Toronto, 1887-1922*, Montréal, McGill-Queen's University Press.

McGowan, Mark G. (2008). « Roman Catholics (Anglophone and Allophone) », dans Paul Bramadat et David Seljak (dir.), *Christianity and Ethnicity in Canada*, Toronto, University of Toronto Press, p. 49-100.

Moss, Mark (2001). *Manliness and Militarism: Educating Young Boys in Ontario for War*, Oxford, Oxford University Press.

Nicolson, Murray W. (1983). « Irish Tridentine Catholicism in Victorian Toronto: Vessel for Ethno-Religious Persistence », dans Canadian Catholic Historical Association, *Study Sessions*, n° 50, p. 415-436.

Nicolson, Murray W. (1984a). « Irish Catholic Education in Victorian Toronto: An Ethnic Response to Urban Conformity », *Histoire sociale = Social History*, n° 17, p. 287-306.

Nicolson, Murray W. (1984b). « The Other Toronto: Irish Catholics in a Victorian City, 1850-1900 », dans Gilbert Stelter et Alan Artibise (dir.), *The Canadian City: Essays in Urban and Social History*, édition revue et augmentée, Ottawa, Carleton University Press, p. 328-359.

Palmer, Howard (1998). « Reluctant Host: Anglo-Canadian Views of Multiculturalism in the Twentieth Century », dans R. Douglas Francis et Donald B. Smith (dir.), *Readings in Canadian History: Post-Confederation*, Toronto, Harcourt Brace, p. 125-139.

Pennacchio, Luigi G. (1986). « Toronto's Public Schools and the Assimilation of Foreign Students, 1900-1920 », *Journal of Educational Thought = La revue de la pensée éducative*, vol. 20, n° 1 (avril), p. 37-48.

Perin, Roberto (1998). *L'Église des immigrants : les allophones au sein du catholicisme canadien, 1880-1920*, Ottawa, Société historique du Canada.

Perin, Roberto (2008). *Ignace de Montréal : artisan d'une identité nationale*, Montréal, Éditions du Boréal.

Power, Michael (2002). *A Promise Fulfilled: Highlights in the Political History of Catholic Separate Schools in Ontario*, Toronto, Ontario Catholic School Trustee's Association.

Prentice, Alison (1977). *The School Promoters: Education and Social Class in Mid-Nineteenth Century Upper Canada*, Toronto, McClelland & Stewart Inc.

« Proposed Consolidation of the Acts Relating to Public Instruction, Province of Quebec », *The Educational Record*, vol. 1, n° 4 (novembre 1881), p. 461.

Rexford, Elson I. (1928). *Our Educational Problem: The Jewish Population and the Protestant Schools*, Montréal, Renouf Publishing Company.

Rudin, Ronald (1986). *Histoire du Québec anglophone, 1759-1980*, Québec, Institut québécois de recherche sur la culture.

Shahrodi, Zofia (1993). « The Experience of Polish Catholics in the Archdiocese of Toronto, 1905-1935 », dans Brian P. Clarke et Mark G. McGowan (dir.), *Catholics at the "Gathering Place": Historical Essays on the Archdiocese of Toronto, 1841-1991*, Toronto, Dundurn Press, p. 141-154.

SPEISMAN, Stephen A. (1979). *The Jews of Toronto: A History to 1937*, Toronto, McClelland & Stewart Inc.

STAMP, Robert M. (1977). « Empire Day in the Schools of Ontario: The Training of Young Imperialists », dans Alf Chaiton et Neil MacDonald (dir.), *Canadian Schools and Canadian Identity*, Toronto, Gage Educational Publishing Limited, p. 102-115.

STAMP, Robert M. (1982). *The Schools of Ontario: 1876-1976*, Toronto, University of Toronto Presss, collection « Ontario Historical Studies ».

STAMP, Robert M. (1985). *The Historical Background of Separate Schools in Ontario*, Toronto, Ontario Ministry of Education.

SYLVAIN, Philippe, et Nive VOISINE (1991). *Histoire du catholicisme québécois*, vol. II : *Réveil et consolidation*, t. II : *1840-1898*, Montréal, Éditions du Boréal.

TADDEO, Donat J., et Raymond C. TARAS (1987). *Le débat linguistique au Québec : la communauté italienne et la langue d'enseignement*, traduit de l'anglais par Brigitte Morel-Nish, Montréal, Les Presses de l'Université de Montréal.

TODD, Emmanuel (1994). *Le destin des immigrés : assimilation et ségrégation dans les démocraties occidentales*, Paris, Seuil.

TROPER, Harold (2002). « The Historical Context for Citizenship Education in Urban Canada », dans Yvonne M. Hébert (dir.), *Citizenship in Transformation in Canada*, Toronto, University of Toronto Press, p. 150-161.

TUMBO, Enrico Calrson (1993). « Impediments to the Harvest: The Limitations of Methodist Proselytization of Toronto's Italian Immigrants, 1905-1925 », dans Brian P. Clarke et Mark G. McGowan (dir.), *Catholics at the "Gathering Place": Historical Essays on the Archdiocese of Toronto, 1841-1991*, Toronto, Dundurn Press, p. 155-176.

WALKER, Franklin (1954). *Catholic Education and Politics in Upper Canada*, Toronto, J. M. Dent & Sons (Canada) Ltd.

WALKER, Franklin (1964). *Catholic Education and Politics in Ontario*, Toronto, Thomas Nelson & Sons Ltd.

WALKER, Franklin (1986). *Catholic Education and Politics in Ontario: From the Hope Commission to the Promise of Completion (1945-1985)*, Toronto, Catholic Education Foundation of Ontario.

« L'apôtre infatigable de l'irrédentisme français » : la lutte de Napoléon-Antoine Belcourt en faveur de la langue française en Ontario durant les années 1910 et 1920

Geneviève Richer
Université d'Ottawa

AVOCAT DE PROFESSION, Napoléon-Antoine Belcourt (1860-1932) est un membre bien en vue de l'élite canadienne-française d'Ottawa et de la scène politique canadienne du début du xxe siècle. Élu député libéral de la circonscription d'Ottawa pour la première fois en 1896, Belcourt occupe diverses fonctions importantes, dont celle de président de la Chambre des communes de mars à septembre 1904, avant d'être nommé sénateur en 1907, fonction qu'il occupera jusqu'à son décès en 1932. De plus, il contribue, en 1910, à la fondation de l'Association canadienne-française d'éducation d'Ontario (ACFEO), dont il occupe la présidence de 1910 jusqu'en 1912 et de nouveau entre 1921 et 1932. Au cours des années 1910 et 1920, Belcourt prend une part active à la lutte contre le Règlement XVII, une mesure introduite en 1912 par le gouvernement ontarien de James Whitney et qui proscrit l'usage du français comme langue d'enseignement et comme sujet d'étude dans les écoles bilingues de l'Ontario.

Compte tenu du rôle important qu'il joue dans la lutte des Franco-Ontariens contre les visées assimilatrices du gouvernement ontarien, Belcourt suscite l'admiration et la sympathie de l'aile la plus militante des nationalistes canadiens-français de l'époque, dont les membres de *L'Action française* de Montréal. C'est pour cette raison que ces derniers décident, en 1924, de lui décerner leur premier et seul Grand Prix d'Action française, dans le but de récompenser son dévouement à la cause scolaire franco-ontarienne. Lors de son discours, Lionel Groulx, directeur de *L'Action française*, ne se gêne pas pour louanger celui qui, dans son combat contre le Règlement XVII, lutte, selon lui, pour la préservation de la nation canadienne-française. Il n'hésite pas non plus à élever Belcourt au rang des héros de la nation canadienne-française, et ce, en faisant des parallèles entre l'œuvre du sénateur et les exploits de Dollard des Ormeaux :

> Quand plus tard encore, cette civilisation de nouveau menacée, vous avez résolu de la défendre, dans l'âme de votre peuple comme dans la nôtre, croyez-le bien, c'était la même volonté qui s'affirmait. Le drapeau que vous tenez dans vos mains, si parfois il vous paraît lourd à porter, c'est qu'il a traversé cette lointaine et merveilleuse histoire et que ses plis en sont tout chargés. Et si la hampe a des frémissements qui vous émeuvent, n'en soyez pas trop étonné, c'est que vous l'avez ramassée quelque part vers le Long-Sault (Groulx, 1926 : 216).

Tout comme Groulx, Omer Héroux, rédacteur du *Devoir*, admire la lutte de Belcourt contre le Règlement XVII. Dans un éditorial publié en 1924 dans le cadre du Grand Prix d'Action française, Héroux soutient que le Québec doit être reconnaissant envers le travail de celui qui non seulement défend les intérêts des Franco-Ontariens, mais aussi ceux des Canadiens français du Québec, étant donné qu'il tente de faire disparaître des préjugés et des ignorances dont les deux groupes sont victimes :

> Au jour de la victoire il faudra, dans le calcul des facteurs heureux, faire une large part à cet incessant travail de pénétration ; et les Franco-Ontariens ne seront point les seuls à devoir au tenace propagandiste une grosse dette de reconnaissance. Car, tout ce qu'il fait pour la cause dont il a la charge immédiate, il le fait pour nous – non seulement parce que les deux groupes sont solidaires, mais parce qu'il dissipe des préjugés et des ignorances dont nous sommes pareillement victimes.
>
> Il était deux fois convenable qu'on saluât avec éclat, en terre québecquoise [*sic*], le dévouement et la générosité de ce magnifique soldat d'une grande cause (Héroux, 1924 : 1).

Pour sa part, Charles Gautier, rédacteur du *Droit*, n'hésite pas également à exprimer son admiration envers Belcourt. Dans un éditorial publié en 1932, au moment du décès du sénateur, Gautier salue l'œuvre de celui qui, à l'instar de son confrère Philippe Landry, a lutté pour assurer l'existence et le développement des Franco-Ontariens :

> Chefs d'une minorité encore faible, mais appelée à grandir et à devenir dans cette province une force numérique, ils ont voulu édifier sur les luttes et les sacrifices d'hier les glorieuses destinées de demain. Ils ont voulu que notre nationalité se développe sans entraves, qu'elle jouisse de tous les privilèges d'un peuple libre, que ses enfants, en se multipliant, gardent leurs âmes catholiques et leurs cœurs français. C'est pourquoi leur plus grand désir était de voir tous les Franco-Ontariens unis sous un même drapeau pour la défense des droits constitutionnels qui leur assureraient le libre usage de leur foi et de leur langue (Gautier, 1932 : 3).

Cette représentation de Belcourt que se font les nationalistes canadiens-français, dont Groulx, Héroux et Gautier, ne fait pourtant pas l'unanimité à l'époque. En effet, l'abbé Sylvio Corbeil, directeur de l'École normale de Hull et ancien directeur de conscience de Groulx, ne perçoit pas Belcourt comme un héros de la nation canadienne-française. Au contraire, il lui reproche plutôt son esprit partisan qui l'a amené à faire preuve d'indulgence à l'égard du gouvernement de Wilfrid Laurier qui, en 1896 et 1905, a permis l'abolition des droits scolaires des minorités françaises dans les provinces de l'Ouest. Tout en reprochant à Groulx d'avoir violé la vie intime de Belcourt en créant le personnage de Jules de Lantagnac, le héros de son roman *L'appel de la race* publié en 1922, Louvigny de Montigny, traducteur au Sénat, croit pour sa part que le sénateur n'aurait pas été un nationaliste canadien-français « intransigeant » puisque ce dernier ne cherchait qu'à favoriser l'harmonie entre les Canadiens français et les Canadiens anglais au moment de la lutte scolaire franco-ontarienne (Bock, 2004 : 268-269, 278-279).

Une étude approfondie de la pensée de Belcourt sur la langue française en Ontario, au moment où les Franco-Ontariens se battent pour le respect et la reconnaissance de leur langue maternelle dans leurs écoles et au sein de l'Église catholique de la province au cours des années 1910 et 1920, montre qu'elle est peut-être plus complexe que ce que laissent entendre les nationalistes canadiens-français, complexité qui a d'ailleurs été peu mise en évidence par l'historiographie jusqu'ici. En fait, les historiens de la crise scolaire franco-ontarienne, dont Robert Choquette (1977, 1987) et Gaétan Gervais (1996), ne remettent pas en question la représentation de Belcourt défendue par les nationalistes canadiens-français, alors que Peter Oliver (1972) soutient que Belcourt est, au moment du conflit scolaire franco-ontarien, un partisan de la réconciliation et de la coopération entre les Canadiens français et les Canadiens anglais. De son côté, Patrice Dutil (2005) abonde dans le même sens qu'Oliver et ajoute que Belcourt favorise également la réconciliation et la coopération entre les deux communautés dans un contexte de conflit mondial. Ainsi, l'objectif de cette étude sera de mieux comprendre la contribution d'une figure franco-ontarienne qui a exercé une influence importante sur la construction identitaire de l'Ontario français, du Canada français et du Canada, par l'entremise de sa lutte pour la langue française en Ontario au cours des années 1910 et 1920. Vivant dans une province anglophone, Belcourt se retrouve donc dans une situation où il doit conjuguer avec les différentes tensions qui opposent les Canadiens français et les Canadiens anglais et qui, par conséquent, contribuent à affaiblir l'unité nationale. Nous proposons l'hypothèse que, même s'il cherche à protéger les Franco-Ontariens de l'assimilation en défendant leur droit d'utiliser leur langue maternelle dans leurs écoles de même qu'au sein de l'Église catholique de l'Ontario au cours des années 1910 et 1920, il n'en demeure pas moins que Belcourt encourage aussi durant cette période la construction nationale du Canada, en prônant le maintien de la Confédération et de l'unité nationale. Pour ce faire, nous aborderons trois thèmes qui caractérisent la pensée de Belcourt sur la langue française en Ontario, soit l'ancienneté des Canadiens français en Ontario et au Canada, le catholicisme et l'unité nationale. À l'intérieur de ces thèmes, nous comparerons également la pensée de Belcourt à celle de Lionel Groulx, le maître à penser du nationalisme canadien-français, et à celle des nationalistes canadiens de la mouvance d'Henri Bourassa.

L'ancienneté des Canadiens français en Ontario et au Canada

Dans sa lutte en faveur de la langue française en Ontario à l'époque du Règlement XVII, Belcourt invoque l'argument de l'ancienneté des Canadiens français en Ontario et au Canada pour justifier le droit des Franco-Ontariens d'utiliser leur langue maternelle comme langue d'enseignement dans leurs écoles. Pour ce faire, il rappelle que les descendants de ses compatriotes sont les premiers à avoir colonisé le sol de l'Amérique du Nord, dont le territoire actuel de l'Ontario. De l'Atlantique jusqu'aux Rocheuses et de la baie d'Hudson jusqu'en Louisiane, ces pionniers ont, souligne Belcourt, implanté dans cette partie du continent nord-américain leurs lois, leurs traditions, leur religion et surtout la langue française. Étant donné que leurs ancêtres ont établi la civilisation au Canada, les Franco-Ontariens ont donc, estime le sénateur, le droit de s'épanouir dans leur langue, d'autant plus que celle-ci n'est pas une langue étrangère au Canada et encore moins en Ontario (Belcourt, 1914 : 15 ; 1916 : 14 ; 1923b : 3-4). Puisqu'il s'agit de la première langue implantée au Canada et la seule parlée depuis plus d'un siècle, hormis l'idiome amérindien, Belcourt est d'avis que cette langue fait partie de l'héritage des Franco-Ontariens et que, par conséquent, ils ne peuvent en être dépossédés. C'est pour cette raison, selon lui, que ces derniers souhaitent poursuivre l'apprentissage, l'approfondissement et la transmission de la langue de leurs pères, de même que celle qui a servi à la rédaction et à la préservation de l'histoire de la première civilisation et de la première évangélisation chrétienne au Canada[1]. Compte tenu du fait qu'il désire préserver l'héritage des ancêtres, Belcourt exhorte ses compatriotes à se mobiliser contre le Règlement XVII, et ce, dans le but d'assurer leur survivance en Ontario. C'est ce qu'il fait d'ailleurs en 1923, à Windsor, lors d'un rassemblement où il s'adresse aux Franco-Ontariens des comtés de Kent et d'Essex venus l'entendre :

> Le respect des cendres de ces aïeux, des maisons qu'ils ont habitées, des choses qu'ils ont aimées, des objets qu'ils ont touché[s], vous commandent [*sic*] plus que toute autre voix, la fierté de la race et le respect de tout ce qui la constitue et tout ce qui vous vient d'elle. Personne ne fera jamais le sacrilège d'user de ces souvenirs sacrés avec un esprit et un cœur et une mentaité [*sic*] changés ou déformés[2].

Ce droit d'aînesse que possèdent les Franco-Ontariens, Belcourt l'invoque aussi dans un contexte de tension au sein de l'Église catholique en Ontario, afin de justifier la nécessité de nommer des prêtres et des évêques de langue française dans les paroisses et les diocèses où ses compatriotes forment la majorité. Dans une requête adressée en 1926 au pape, il souligne d'ailleurs que leurs ancêtres sont les pionniers de la civilisation et de la foi catholique en Amérique du Nord, de même qu'au Canada, contrairement aux Canadiens d'origine irlandaise, dont les ancêtres ont immigré deux siècles plus tard. Belcourt va même ajouter que ce sont eux qui ont formé les premières communautés catholiques, non seulement au Québec, mais aussi ailleurs au Canada et que c'est grâce à eux si un bon nombre de diocèses ont été fondés au pays. Par conséquent, il est d'avis que l'Église catholique devrait être reconnaissante envers les réalisations des Canadiens français puisqu'elle n'aurait sans doute pas pu exister ni même conserver son intégrité sans le concours des catholiques de langue française du pays et de l'Ontario. De plus, il est important de mentionner que Belcourt croit que les requêtes des Franco-Ontariens en matière d'effectifs religieux de langue française sont légitimes puisque la population catholique francophone de l'Ontario atteint environ 300 000 âmes et constituait, en 1921, la majorité des catholiques dans six diocèses et un vicariat apostolique (1926 : 4-5, 24-25).

---

[1]   « Le Grand Ralliement des Canadiens-Français », *Le Droit*, 23 juin 1913, p. 4.

[2]   « Sachez garder vos traditions intactes et votre langue jusqu'à la dernière syllabe », *Le Droit*, 14 février 1923, p. 9.

Cette idée de l'ancienneté des Franco-Ontariens pour justifier leur droit d'utiliser leur langue maternelle dans leurs écoles et au sein de l'Église catholique de l'Ontario rapproche Belcourt de Lionel Groulx et d'Henri Bourassa. D'abord, l'abbé soutient aussi que le droit d'aînesse des Canadiens français doit leur permettre de s'épanouir comme nation et d'exister partout au Canada puisqu'ils sont les premiers à avoir occupé et colonisé une bonne partie du continent nord-américain. Par conséquent, il est d'avis que l'opposition aux droits scolaires et religieux des minorités françaises constitue une grave attaque envers le Canada français. De plus, afin d'assurer la construction, la stabilité et la pérennité de la nation canadienne-française, Groulx soutient que les Canadiens français doivent préserver et transmettre les traditions ancestrales (Bock, 2004 : 101-103, 125, 135-138), ce que défend aussi Belcourt. De son côté, Bourassa abonde dans le même sens que ce dernier en ce qui a trait à la place des Canadiens français au sein de l'Église catholique au Canada. Réfutant les propos de Mgr Francis Bourne, l'archevêque de Westminster, qui, lors du Congrès eucharistique de 1910, défend l'idée que l'anglais doit être la seule langue du catholicisme sur le continent nord-américain, Bourassa estime que les Canadiens français doivent avoir le droit de pratiquer la religion catholique en français puisqu'ils sont les premiers apôtres du christianisme en Amérique du Nord (1910 : 14).

Le catholicisme

Tout comme l'ancienneté des Canadiens français en Ontario et au Canada, le catholicisme est un autre thème qui domine la pensée de Belcourt sur la langue française en Ontario. Dans sa requête adressée en 1926 au pape, Belcourt déplore d'abord l'existence d'une politique d'élimination du clergé de langue française dans sa province. Il fait part de son inquiétude face au recrutement du clergé chez les jeunes franco-ontariens qui est, à son avis, entravé par l'attitude des autorités religieuses irlandaises qui n'hésitent pas à appuyer les orangistes dans leur croisade contre l'utilisation de la langue française dans les écoles. En effet, il croit que cette attitude contribue à retarder le cheminement scolaire des enfants franco-ontariens, étant donné que ceux-ci doivent composer avec un enseignement qui ne se fait pas dans leur langue maternelle, de sorte que peu d'entre eux décident, par la suite, de poursuivre leurs études au niveau secondaire. Puisque ces jeunes n'ont pas tous la chance de recevoir une formation sacerdotale dans les collèges du Québec, certains d'entre eux réussissent tout de même à parvenir au sacerdoce grâce à la formation acquise dans les collèges de langue anglaise de l'Ontario, alors que d'autres s'en voient refuser l'admission puisqu'on leur préfère plutôt les candidats de langue française qui se sont anglicisés. Belcourt s'inquiète aussi du fait que ceux qui font leurs études dans les collèges de langue française soient obligés de suivre leur cours de philosophie dans les collèges de langue anglaise, ce qui prolonge leurs études de deux ans. Selon lui, grâce à la formation qu'ils reçoivent des collèges de langue anglaise, ces jeunes prêtres ne demeurent français que de nom, compte tenu du fait qu'ils n'ont plus la même mentalité, les mêmes sentiments, les mêmes goûts et la même langue que leurs compatriotes. Belcourt note d'ailleurs que cette situation n'est pas rare dans le diocèse de London où les jeunes prêtres ne sont plus reconnus par leurs compatriotes et ne sont plus en mesure de leur transmettre adéquatement la foi. En plus, le sénateur reproche aux institutions d'enseignement religieux de la province de ne pas offrir une bonne formation en français aux prêtres de langue anglaise qui sont assignés à des paroisses franco-ontariennes. Leur français reste misérable et incompréhensible, de sorte que leurs fidèles ont de la difficulté à les comprendre. Il est important de mentionner que cette politique d'élimination du clergé de langue française en Ontario, Belcourt la perçoit également dans l'attitude des évêques irlandais qui refusent d'accepter des prêtres de langue française des autres diocèses qui s'offrent à desservir des paroisses franco-ontariennes dans leur diocèse (1926 : 9-12).

Cette politique d'élimination du clergé canadien-français entreprise par le clergé irlandais en Ontario amène Belcourt à associer la langue et la foi, c'est-à-dire que l'assimilation peut, d'après lui, entraîner l'apostasie. Dans sa requête au pape de 1926, le sénateur reproche, entre autres, aux prêtres irlandais de ne pas s'adapter au genre de vie, aux mœurs, aux habitudes et à la langue des différents groupes ethniques dont ils ont la responsabilité, ce qui, à son avis, compromet l'efficacité de l'enseignement religieux en plus d'affaiblir la foi des Franco-Ontariens. Étant donné que ces prêtres refusent de dire la messe en français, particulièrement dans les paroisses franco-ontariennes qui sont situées dans les diocèses de Pembroke, d'Alexandria, de London et de Sault-Sainte-Marie, les fidèles franco-ontariens ne sont pas en mesure de bien interpréter la parole de leurs guides puisqu'ils ne sont pas familiers avec le vocabulaire de la prédication qui leur est entièrement transmis en anglais. En plus d'être froissé par le fait que les documents épiscopaux et pastoraux sont souvent rédigés en anglais, Belcourt désapprouve les confessions et les retraites paroissiales qui sont faites également en anglais dans les paroisses franco-ontariennes. Ainsi, Belcourt croit que les hommes d'Église de langue anglaise ne cherchent qu'à entraîner leurs paroissiens franco-ontariens à parler leur langue, malgré le fait que certains d'entre eux connaissent le français. Belcourt tient toutefois à préciser que les prêtres canadiens-français qui desservent les paroisses irlandaises s'adressent sans difficulté en anglais à leurs fidèles et que ceux-ci les comprennent (1926 : 6, 15-17, 19-20).

Belcourt soutient également que l'organisation paroissiale canadienne-française est différente de celle qui régit les paroisses irlandaises. Selon lui, la paroisse canadienne-française incarne davantage la famille, dont le prêtre est le chef principal. Il estime que ce dernier joue non seulement un rôle religieux, mais aussi un rôle de confident et de conseiller, en sorte qu'il acquiert facilement la confiance et le respect de ses ouailles. Belcourt note d'ailleurs que ces prêtres partagent la même origine, la même mentalité, les mêmes sentiments et les mêmes goûts que leurs fidèles, ce qui facilite les rapprochements :

> Le prêtre canadien-français se fait tout à tous, et il intéresse son peuple à la vie paroissiale jusque dans ses détails. C'est ainsi qu'il gagne sa confiance et c'est de lui par excellence qu'on peut dire que « ayant la même origine, la même mentalité, les mêmes sentiments et les mêmes goûts que ses compatriotes », il a « une merveilleuse puissance pour insinuer la foi dans leur esprit » ; bien mieux que tout autre, il connaît les méthodes de persuation [sic] de ses paroissiens. Trois siècles de cette vie ont créé entre le peuple canadien-français et son clergé, des liens de sympathie et d'union qu'on ne peut briser sans ébranler jusque dans leurs fondements ses convictions religieuses (1926 : 20).

Ainsi, Belcourt croit que lorsque les Franco-Ontariens se voient imposer des prêtres de langue et de mentalité étrangères, ils ne possèdent plus de confidents naturels et, par conséquent, leurs difficultés morales et matérielles demeurent sans solution, sans compter le fait que la paroisse se retrouve désorganisée. Il va même jusqu'à croire que cette situation va inciter les Franco-Ontariens à abandonner la religion catholique au profit de la religion protestante (1926 : 21). Il est également important de mentionner que cette union de la langue et de la foi, Belcourt ne la défend pas seulement en 1926 dans sa requête adressée au pape ; il la défend aussi en 1914 par l'entremise d'une supplique collective dans laquelle il demande au souverain pontife de bénir la langue française, que lui et ses confrères franco-ontariens associent à la sauvegarde de la foi (Charron *et al.*, 1914 : 1).

En défendant l'union de la langue et de la foi, Belcourt ne fait que reprendre le discours de Bourassa sur le sujet, du moins celui des années 1910. C'est parce qu'il est d'avis que la préservation de la langue française contribue à maintenir la religion catholique chez les Canadiens français que Bourassa s'insurge, lors du Congrès eucharistique de 1910, contre les propos de Mgr Bourne, l'archevêque de Westminster, qui soutient que c'est la langue anglaise qui va assurer la pérennité de l'Église catholique en Amérique du Nord. Il estime, pour sa part, que le Christ n'a jamais exigé des croyants qu'ils abandonnent leur langue et leur culture afin d'être fidèles à Dieu. Par conséquent, il croit que les Canadiens français doivent avoir le droit de pratiquer la religion catholique dans leur langue, soit celle qu'ils ont utilisée pendant 300 ans pour prier Dieu (Bourassa, 1910 : 14). Puisqu'il se porte à la défense des Canadiens français dans sa réfutation des propos de Mgr Bourne, Bourassa obtient l'admiration et la sympathie de Groulx, qui décide de lui attribuer le rôle de chef de la nation canadienne-française, chef qui, d'après lui, saura guider ses compatriotes vers le réveil national (Bock, 2004 : 246).

S'il défend l'union de la langue et de la foi pendant les années 1910, Bourassa modifie cependant sa position au cours des années 1920, ce qui l'amène à accorder davantage d'importance à la foi qu'à la langue. Étant donné que le pape condamne le nationalisme outrancier durant les années 1920, Bourassa se met à partager la méfiance du souverain pontife à l'égard de cette doctrine et, par conséquent, décide de la condamner ouvertement, prétextant qu'elle est en contradiction avec l'ordre hiérarchique de l'Église catholique et l'ordre social (Lamonde, 2004 : 161-162). C'est sans doute pour cette raison qu'il dénonce le projet d'État français catholique proposé en 1922 par *L'Action française* de Montréal à la suite d'une enquête. Qualifiant le projet de « séparatiste », Bourassa est d'avis que sa création va, entre autres, amener le Québec à abandonner les minorités françaises, attitude qui déçoit d'ailleurs Groulx et ses collègues (Bock, 2004 : 309-310 ; Mann, 2005 : 140). Même s'il appuie les Franco-Ontariens dans leur lutte contre le Règlement XVII jusqu'à son abolition en 1927 (Bourassa, 1927 : 1), Bourassa condamne toutefois, en 1929, la lutte des Sentinellistes du Rhode Island contre leur évêque, qui souhaite utiliser leurs fonds pour financer les écoles anglophones du diocèse. Selon lui, il ne s'agit pas d'une lutte pour la défense de la langue française, mais plutôt d'un refus de l'autorité (Lacombe, 2002 : 54-55).

Bien que Bourassa privilégie la foi au détriment de la langue au cours des années 1920, il en est autrement pour Belcourt, qui demeure fidèle à la théorie de l'union de la langue et de la foi, non seulement dans les années 1910, mais aussi dans les années 1920. Sa supplique et sa requête adressées respectivement en 1914 et en 1926 au pape en témoignent. Il est possible de croire que la condamnation du pape à l'égard du nationalisme outrancier au tournant des années 1920 ne contribue pas à modifier la pensée de Belcourt sur l'union de la langue et de la foi durant cette période. Ainsi, il n'hésite pas, en 1926, à faire part au souverain pontife que l'assimilation peut entraîner l'apostasie, ce qui le rapproche de Groulx, qui demeure également fidèle à cette théorie. Il faut dire que l'abbé est réticent envers ceux qui cherchent à séparer le national du religieux (Bock, 2004 : 105), étant d'avis que la rupture du lien qui unit les deux éléments ne peut qu'être désastreuse pour la nation canadienne-française (Mann, 2005 : 156). De plus, il est important de mentionner qu'il se peut que Belcourt ne se sente pas particulièrement visé par la condamnation papale, compte tenu du fait que son nationalisme est plus modéré que d'autres, comme nous le montrerons plus loin lorsqu'il sera question de l'unité nationale.

Puisqu'il croit que l'Église catholique est autant celle des Franco-Ontariens que celle des Canadiens d'origine irlandaise, Belcourt soutient enfin, dans une supplique collective adressée en 1914 au pape, que la nomination de prêtres et d'évêques de langue française dans les paroisses et les diocèses où les Franco-Ontariens forment la majorité, la division des paroisses mixtes, de même que la publication française des lettres pastorales, des circulaires et des documents épiscopaux seront bénéfiques pour l'esprit de l'Église catholique en Ontario, en plus d'être le seul moyen de maintenir la paix entre les catholiques franco-ontariens et les catholiques irlandais. C'est sans doute pour préserver cette paix et aussi pour délivrer les Franco-Ontariens des comtés de Kent et d'Essex du joug de Mgr Michael Francis Fallon que Belcourt et ses confrères proposent de séparer le diocèse de London, dans le but d'en créer un nouveau dont le siège sera situé à Windsor et dont le titulaire sera canadien-français (Charron *et al.*, 1914 : 1-2). Il faut dire que Mgr Fallon n'obtient pas la sympathie des Franco-Ontariens, que ce soit ceux de son diocèse ou ceux qui habitent ailleurs en Ontario, dans la mesure où il mène une campagne antifrançaise et promeut ouvertement le Règlement XVII (Choquette, 1977 ; Cecillon, 1995). Lors de son premier mandat à titre de président de l'ACFEO, Belcourt avait dénoncé, auprès du pape, la conduite du prélat qui lui avait valu l'appui des orangistes, soit les pires ennemis de l'Église catholique, selon lui. Il lui avait également demandé de le rappeler à l'ordre, en plus de protéger les droits religieux et nationaux des Franco-Ontariens (Belcourt, entre 1910 et 1912). Il est important d'ajouter que Belcourt et ses acolytes souhaitent aussi mettre un terme à l'opposition des évêques et du clergé irlandais à l'égard des écoles catholiques de langue française où les deux langues officielles sont enseignées, puisque l'attitude de ces hommes d'Église ne peut qu'affaiblir le respect de l'enseignement et de la discipline de l'Église catholique, de même que réjouir les ennemis de celle-ci. Cette volonté de mettre fin aux querelles entre les catholiques franco-ontariens et les catholiques irlandais amène également ces hommes à exiger la formation d'une commission dans le but d'étudier et de régler le différend qui oppose ces deux groupes à propos des écoles à Ottawa. Cette commission devrait, selon eux, être composée du délégué apostolique, du cardinal Louis-Nazaire Bégin de Québec et de Mgr Edward Joseph McCarthy, l'archevêque d'Halifax (Charron *et al.*, 1914 : 2-3). Ainsi, ce que Belcourt et ses compatriotes cherchent à faire comprendre au pape dans leur supplique, c'est que l'unité de l'Église catholique en Ontario ne pourra être maintenue que si les évêques irlandais respectent les besoins religieux des Franco-Ontariens de leur diocèse et cessent leurs attaques à l'égard des écoles bilingues.

S'il défend l'union de la langue et de la foi, de même que l'unité de l'Église catholique dans sa lutte pour le respect et la reconnaissance de la langue française au sein même de cette institution en Ontario, Belcourt ne se réfère toutefois pas à la logique de la mission providentielle des Canadiens français pour revendiquer leurs droits scolaires ou religieux, préférant plutôt s'en tenir à l'histoire, à l'ancienneté, de même qu'au droit constitutionnel et à la solidarité, comme nous le verrons plus loin. Le fait qu'il demeure silencieux sur la question le distingue d'ailleurs de Groulx qui, pour sa part, accorde une grande place à cette logique dans son discours. Il faut dire que l'abbé défend l'idée que ses compatriotes ont reçu de la Providence la mission de répandre la civilisation française et la foi catholique en Amérique du Nord (Bock, 2004 : 119-138). Il est important de mentionner que Belcourt se distingue également de Bourassa qui adhère aussi au providentialisme, dans la mesure où il croit que la Providence a choisi les Canadiens français pour occuper le rôle d'apôtres en Amérique du Nord et qu'elle leur a accordé sur ce continent un coin de terre à part qui leur permettra de vivre en une société qui correspond aux vues de l'Église catholique (Bourassa, 1910 : 15-16).

L'unité nationale

Enfin, l'unité nationale est un autre thème qui domine la pensée de Belcourt sur la langue française en Ontario au cours de sa lutte contre le Règlement XVII, stipulant que ce dernier contribue à fragiliser la nation canadienne. Il croit d'ailleurs que l'usage d'une seule langue ne favorise pas davantage le progrès, le développement, la prospérité et l'unité d'une nation. Le sénateur est plutôt d'avis que la diversité des langues n'est pas un obstacle, mais plutôt un atout à la vie nationale. Il cite l'exemple de l'Autriche, de la Belgique et de la Suisse, de même que certaines nations faisant partie de l'Empire britannique, dont l'Inde, afin de montrer qu'il existe une diversité linguistique dans ces pays, et que chacune des langues est enseignée dans les écoles, en plus d'être mise sur un pied d'égalité. De plus, Belcourt explique que l'enseignement de plusieurs langues ne retarde ni le progrès ni l'unité nationale dans ces pays. Selon lui, le Canada doit plutôt être fier d'être un pays où il y a une dualité ethnique, celle-ci ne pouvant qu'être à son avantage :

> N'oublions pas que l'union est la force, mais l'uniformité n'est pas l'union. Au lieu de le regretter, nous devrions nous féliciter de trouver au Canada la différence des races anglaise et française, la variété des caractères et le progrès qui en résulte. Au lieu d'être un obstacle au progrès et à l'avancement dans toutes les sphères de l'énergie humaine, cette diversité est au contraire le meilleur stimulant, outre qu'elle ajoute au pittoresque de la vie nationale. De cette diversité résultent naturellement une émulation louable et une rivalité amicale. Combien monotone serait notre existence nationale, combien stérile elle serait sous tant d'aspects, si nous nous ressemblions tous par les traits, la mentalité et le caractère, si nous ne parlions et ne lisions qu'une langue, si nous avions tous les mêmes goûts, les mêmes habitudes, si nous passions tous dans la vie comme le font les créatures qui vivent en troupeau ! (1912 : 6-7)

Étant donné que la proscription de la langue française dans les écoles bilingues de l'Ontario nuit à l'unité nationale par les divisions qu'elle suscite entre les Canadiens français et les Canadiens anglais, Belcourt craint alors pour la survie de la Confédération et des institutions nationales. Puisqu'il croit que la Confédération est un partenariat entre les Canadiens français et les Canadiens anglais, le sénateur soutient que les Pères de la Confédération ont défendu l'idée que le développement et le progrès de la nation canadienne ne pouvaient se faire sans l'union et la coopération des Canadiens français et des Canadiens anglais, et ce, tout en laissant à chacun le droit de s'épanouir librement dans sa langue, sa culture et ses croyances (1917 : 69-70 ; 1925 : 206 ; 1927 : 4). Belcourt reconnaît cependant que cette conception a été à maintes reprises brisée par certains politiciens des provinces canadiennes-anglaises, qui ne se sont pas gênés pour attaquer les minorités françaises, soit pour s'emparer du pouvoir ou pour le maintenir, alors que les Canadiens français du Québec ont, pour leur part, toujours traité avec justice et générosité la minorité anglaise de leur province (1917 : 70). Il estime que si les Canadiens français avaient su dès le départ que les clauses du pacte fédéral ne seraient pas respectées par leurs confrères canadiens-anglais, ils n'auraient jamais accepté de faire partie de la Confédération[3]. Ainsi, Belcourt croit que les Canadiens anglais doivent avant tout comprendre que la fusion des races ne sera jamais possible au Canada et que la Confédération ne pourra prospérer, ni même survivre, sans la collaboration des deux communautés :

> L'assimilation des deux races, leur fusion complète, que désirent et rêvent encore certains Anglais du Canada, n'est pas possible. On ne réussira jamais à faire des Anglais avec les Français du Canada : ceux-ci n'y consentiront jamais. Les traditions séculaires de ces derniers, leur génie particulier, leur atavisme ont poussé des racines trop longues et trop solides pour qu'on puisse jamais les arracher ou les détruire. [...] Bref l'esprit et le but de la Confédération peuvent et doivent se résumer en deux mots, « coopération et solidarité » (1917 : 70-71).

Étant d'avis que la crise scolaire en Ontario est devenue un obstacle à la construction nationale du Canada, le sénateur demande à tous ceux qui condamnent la mesure du gouvernement ontarien de s'unir aux Franco-Ontariens, non seulement dans le but de réparer les torts qui sont portés contre la minorité française de l'Ontario, mais aussi dans le but de rétablir l'unité nationale. Pour ce faire, Belcourt mise d'abord sur le Québec, qu'il considère comme la « province mère » de la nation canadienne-française.

---

[3]   « Ne vous étonnez pas, Ontariens, si Québec vous boude un peu », *Le Droit*, 10 février 1923, p. 15.

Puisque le français est la langue de la majorité au Québec, celui-ci ne peut pas, selon Belcourt, demeurer indifférent face à la situation précaire de ses compatriotes de l'Ontario qui sont, tout comme les autres minorités françaises du Canada, les avant-postes (1913 : 289, 304). À cet effet, Belcourt ne fait que reprendre le discours de Groulx, qui soutient que le Québec, foyer de la nation canadienne-française, a le devoir de prêter main-forte aux minorités françaises dans le but de défendre leurs droits linguistiques, culturels, scolaires et religieux (Bock, 2004 : 162-173). Lors du Congrès de la langue française qui se tient en 1912 à Québec, le sénateur explique que l'aide de cette province est nécessaire pour préserver l'existence de la langue française en Ontario et que si les Franco-Ontariens n'ont pas son appui, leur cause sera perdue : « Si, en outre, nous ne pouvions compter sur l'appui moral, sur le concours matériel de la province de Québec, je crois qu'il nous faudrait bien admettre la faillite ultime de la langue chez nous. » Afin d'assurer la pérennité de la langue française en Ontario, Belcourt souhaite que « [ses] frères de la province mère » contribuent à la formation des instituteurs bilingues, de même qu'à l'établissement et au maintien des écoles paroissiales, commerciales et industrielles (Belcourt, 1913 : 304). De plus, le sénateur est d'avis que l'appui du Québec est aussi essentiel pour éclairer les Canadiens anglais sur la justesse des droits et des revendications des Franco-Ontariens, tout en leur faisant comprendre l'importance de faire respecter le pacte fédéral. Lors d'un rassemblement organisé à l'Université Laval, à Québec en 1915, par l'Association catholique de la jeunesse canadienne-française (ACJC), dans le but de sympathiser avec la cause des Franco-Ontariens, Belcourt invite les Canadiens français du Québec à épauler leurs compatriotes de l'Ontario dans cette entreprise :

> Vous nous aiderez donc à éclairer l'opinion publique au Canada et en Angleterre, surtout et par dessus [*sic*] tout chez nos concitoyens de langue anglaise, et à expliquer, là comme ici, et à bien définir notre situation scolaire comme à préciser nos droits et nos justes revendications. Vous et nous ensemble, nous réussirons à faire comprendre à la majorité qui nous entoure que priver les minorités dans la Confédération canadienne de leurs droits naturels, historiques et constitutionnels, constitue une violation du pacte fédéral dont cette majorité est plus particulièrement solidaire. Précisément parce qu'elle est la majorité elle est plus spécialement obligée à faire respecter non seulement la lettre, mais l'esprit, je dirai surtout l'esprit, des conventions, la garantie des obligations communes de l'acte fédératif (1915 : 12).

Si Belcourt cherche à obtenir l'appui de la population canadienne-française du Québec, il cherche aussi à acquérir celui de la population canadienne-anglaise de la province, celle-ci pouvant jouer, selon lui, un rôle déterminant dans la lutte contre le Règlement XVII. Dans son discours prononcé, en 1916, devant le Canadian Club de Québec, Belcourt insiste d'ailleurs sur le fait que non seulement les Anglo-Québécois pourraient vivre la même situation que leurs compatriotes francophones de l'Ontario, étant donné qu'ils forment une minorité au Québec, mais aussi parce que c'est le devoir du Québec, province membre de la Confédération, de contribuer à mettre un terme à cette crise :

> *Perhaps you may think it impertinence on my part, but will you not allow me to say that you owe it to yourselves first of all to look carefully into this matter. To-day it is a question in Ontario, but to-morrow it may be a question in Quebec. Don't you owe it to yourselves to consider this most carefully? But, to put it on a higher ground—because I have unbounded confidence in the feelings of justice and fair play of the Protestants in the Province of Quebec—don't you owe it to us French-Canadians, in both Provinces, to come to our assistance in the Province of Ontario, where we are seeking the preservation of our most elementary rights? I think you owe it also to Canada, to Confederation, to take a part in this matter. [...] Permit me also to say to you, with all the solemnity and earnestness of which I am capable, that it is your duty, because the present is as grave and as dangerous a situation as ever arose in Canada. I say Quebec is as much a partner in Confederation as the other provinces. Confederation is a partnership in which we are all jointly and severally responsible for the performance of duties and obligations assumed by every one of the provinces, and for that reason I am sure—I hope at all events—that you will agree with me, that it is incumbent upon you to look into this very serious matter and do what you can to bring about a just settlement of it*[4] (1916 : 13).

---

[4]   « Vous me trouverez peut-être impertinent, mais permettez-moi de vous dire qu'il vous incombe de regarder attentivement cette affaire. Aujourd'hui, il s'agit d'une situation qui touche l'Ontario, mais demain, elle pourra toucher le Québec. Ne vous incombe-t-il pas de vous pencher sérieusement sur cette question ? Mais, pour la situer à un niveau plus élevé – parce que j'ai une confiance inconditionnelle envers les sentiments de justice et de *fair-play* des protestants de la province de Québec –, est-ce que vous nous le devez pas à nous Canadiens français des deux provinces de venir nous appuyer dans la province de l'Ontario, où nous luttons pour la préservation de nos droits fondamentaux ? Je crois que vous le devez aussi au Canada, à la Confédération, de prendre part à cette lutte. [...] Permettez-moi de vous dire aussi, avec toute la solennité et l'ardeur dont je suis capable, qu'il s'agit de votre devoir, parce que la situation présente au Canada est plus grave et dangereuse qu'auparavant. Je dirais que le Québec est autant un partenaire dans la Confédération que les autres provinces. La Confédération est un partenariat à l'intérieur duquel nous sommes tous responsables

Belcourt ne cherche pas seulement à convaincre les Canadiens français et les Canadiens anglais du Québec d'appuyer les Franco-Ontariens dans leur lutte contre le Règlement XVII; il cherche aussi le soutien des Canadiens anglais de l'Ontario. Lors d'un rassemblement organisé en 1923 par la Literary and Athletic Society de l'Université de Toronto, il explique que c'est le devoir de ses compatriotes de langue anglaise dans la province de faire des efforts afin que les liens sacrés de l'entente soient renoués et que les conflits qui séparent les deux communautés soient choses du passé. Selon le sénateur, les Canadiens anglais doivent jouer un rôle primordial dans cette quête puisqu'il les considère comme les « grands frères » des Canadiens français. D'après lui, si les Canadiens anglais se mettent à la tâche, les Canadiens français leur tendront la main en vue de coopérer pour le maintien de l'unité nationale (1923a : 6). Cette volonté de favoriser l'union des Canadiens français et des Canadiens anglais pour le bien du Canada, Belcourt l'exprime aussi, la même année, devant le Rotary Club de Toronto. Dans son discours rapporté par le journal *Le Droit*, il souligne l'importance de mettre un terme aux conflits qui opposent les Canadiens français et les Canadiens anglais. Puisque la société canadienne est composite, Belcourt est d'avis qu'il faut laisser à chacun le droit de se développer selon ses particularités :

> Cessons de nous quereller, de nous prendre à la gorge pour de futiles motifs. Tournons plutôt nos énergies, nos talents, nos activités à travailler à l'avancement du pays. La providence a permis qu'il soit composite. Gardons-le comme il est, laissant à chacun de se développer selon sa nature, son esprit, ses inclinations, son idéal[5].

C'est pour rétablir l'union et pour favoriser la coopération entre les deux communautés en Ontario que Belcourt a contribué, en 1922, à la fondation de la Unity League of Ontario, qui regroupe des Canadiens anglais issus, entre autres, des milieux juridique, politique, universitaire et industriel. Dans le cadre de son discours devant la Literary and Athletic Society de l'Université de Toronto en 1923, il explique que cette ligue se dévoue pleinement à cette tâche :

---

envers les devoirs et les obligations qui sont assumés par chacune des provinces, et c'est pour cette raison, j'en suis convaincu, et que vous serez d'accord avec moi, qu'il vous incombe de vous occuper de cette situation et de faire ce que vous pouvez pour trouver un règlement juste. » (Nous traduisons.)

5   « Ne vous étonnez pas… », p. 15.

The League recognizes that upon it lies the duty, as well as the opportunity, of removing the first obstacles which bar the way to the re-establishment of mutual confidence and respect between the two great races of this country, and it is evidently devoting itself to the task with courage and confidence[6] (1923a : 7).

Cet acte de foi en faveur de l'unité nationale dans le contexte de la crise scolaire franco-ontarienne, Belcourt l'exprime également, en 1924, lorsqu'il reçoit le Grand Prix d'Action française, tout en rappelant l'importance de poursuivre l'œuvre des ancêtres :

> Aussi faut-il admettre que le devoir qui s'impose à tous les individus, comme aux groupes qui ont fondé la Confédération, malgré la différence de caractère, d'origine, de religion, de langue, de génie, en dépit des heurts, des difficultés et des vicissitudes qui devaient en résulter, en dépit des déceptions et des découragements qui se sont produits ou qui se produiront dans l'avenir, est de travailler sans relâche et avec espoir à la création et au maintien de l'unité nationale canadienne. [...]
>
> Puisque les pionniers français se sont toujours inspirés du génie, de la logique et des gestes français, et se sont appliqués à jouer sur ce continent le rôle que la France a rempli dans le vieux monde, nous devons, nous leurs descendants et leurs successeurs, nous rappeler que noblesse oblige, que nou[s] sommes les gardiens des traditions, de la culture et des enseignements français. En travaillant de tous nos efforts à préserver notre intégrité française, notre action française, nous contribuerons efficacement à assumer le progrès, la grandeur et l'intégrité de la nation bilingue qu'est le Canada[7].

Ainsi, malgré la crise scolaire qui ébranle la communauté franco-ontarienne au cours des années 1910 et 1920, Belcourt continue toujours de croire à la viabilité de la Confédération, qui permet l'existence et l'épanouissement des Canadiens français et des Canadiens anglais en toute égalité sur le territoire canadien. Afin de protéger l'unité nationale qui est fragilisée par le Règlement XVII, le sénateur est d'avis qu'il faut encourager les Canadiens français et les Canadiens anglais à travailler ensemble, afin d'assurer la construction de la nation canadienne, en dépit de leurs différences de langue, de culture et de religion. Ainsi, Belcourt

---

6   « La Ligue reconnaît que c'est à elle qu'incombent le devoir et l'opportunité de supprimer les premiers obstacles qui barrent la route au rétablissement de la confiance et du respect mutuels entre les deux grandes races de ce pays, et il est évident qu'elle s'y consacre avec courage et confiance. » (Nous traduisons.)

7   « La race canadienne-française rend un digne hommage à l'un de ses dévoués chefs l'hon. sén. Belcourt », *Le Droit*, 26 mai 1924, p. 8.

ne fait que reprendre le discours pancanadien de Bourassa fondé, entre autres, sur la théorie des deux peuples fondateurs. Selon cette conception, les Canadiens français et les Canadiens anglais sont égaux en droit partout au pays et ils doivent s'unir, et non fusionner, afin d'assurer l'avancement de la nation canadienne (Lacombe, 2002 : 78-87).

Si Belcourt demeure optimiste quant à l'avenir d'un Canada qui permet l'existence et l'épanouissement des Canadiens français et des Canadiens anglais en toute égalité, Groulx, pour sa part, est plus désillusionné au tournant des années 1920 et, par conséquent, il se met à développer un nationalisme qui est davantage centré sur le Canada français que sur le Canada. Même s'il perçoit la Confédération comme une victoire nationale importante puisqu'elle est, à son avis, le couronnement des luttes qu'ont menées les Canadiens français pour leur reconnaissance en tant que société distincte – ce qui l'amène à adhérer au discours de Bourassa sur les deux peuples fondateurs –, Groulx constate toutefois que le développement du Canada français au sein du Canada est entravé par l'attitude de la majorité anglo-protestante, qui ne cherche qu'à assimiler les minorités françaises, alors que les hommes politiques canadiens-français, à l'exception de certains d'entre eux, dont Belcourt, sont davantage préoccupés de défendre les intérêts de leur parti politique que ceux de leurs compatriotes. À la suite d'une enquête, l'abbé et ses collègues de *L'Action française* de Montréal vont même jusqu'à envisager, en 1922, la création d'un État français indépendant, advenant l'effondrement de la Confédération qui, à leur avis, sera provoqué par le mécontentement des provinces de l'Ouest à l'égard des politiques mercantiles du Canada central. L'État qu'ils proposent sera confiné au territoire de la province de Québec. Il est important de mentionner que ce projet d'État français soulève les critiques de Bourassa, qui n'hésite pas à le qualifier de « séparatiste ». De plus, il suscite l'inquiétude de plusieurs chefs de file canadiens-français des provinces canadiennes-anglaises, dont Belcourt, et ce, même si Groulx et ses acolytes soutiennent l'idée de ne pas abandonner les minorités françaises si le projet se concrétise. Il faut dire que la question de l'État français semble avoir créé un malaise entre le sénateur et l'abbé. En effet, ce dernier va même jusqu'à demander à Belcourt, par l'entremise d'Edmond Cloutier, secrétaire de l'ACFEO, de modifier un extrait du discours que le sénateur doit prononcer dans le cadre de la cérémonie où on lui remettra le Grand Prix d'Action française, étant d'avis que l'extrait en question est trop dur à l'égard de *L'Action française*, ce que Belcourt accepte de faire. Bien que Charles Charlebois tente d'expliquer à Groulx qu'il n'existe pas de divergence entre Belcourt et *L'Action française*, le père oblat lui laisse toutefois savoir que le sénateur croit que la revue s'est prononcée trop rapidement sur la question. Selon Charlebois, Belcourt estime que, pour le moment, la Confédération est le seul cadre qui puisse permettre la survie et l'expansion de la culture et de la civilisation françaises au Canada. Même s'il accepte de modifier un extrait de son discours, Belcourt demeure toujours préoccupé par le projet d'État français et, par conséquent, demande à rencontrer les directeurs de la revue pour discuter de la question. Cette rencontre qu'exige le sénateur ne semble d'ailleurs pas avoir eu lieu, compte tenu de l'horaire surchargé des directeurs de la revue (Bock, 2004 : 138-141, 144-149, 304-307, 309-321).

Conclusion

Tout compte fait, la pensée de Napoléon-Antoine Belcourt sur la langue française, à l'époque où les Franco-Ontariens luttent pour le respect et la reconnaissance de leur langue maternelle au sein des écoles bilingues et au sein de l'Église catholique de l'Ontario, est peut-être plus complexe que ce que laissent entendre les nationalistes canadiens-français, ainsi qu'une certaine historiographie. Même s'il cherche à protéger les Franco-Ontariens de l'assimilation en défendant leur droit d'utiliser leur langue maternelle dans leurs écoles et au sein de l'Église catholique de l'Ontario au cours des années 1910 et 1920, Belcourt encourage également, durant cette période, la construction de la nation canadienne, en prônant le maintien de la Confédération et de l'unité nationale. Alors comment expliquer le fait que certains nationalistes canadiens-français, dont Lionel Groulx, Omer Héroux et Charles Gautier, aient voulu en faire un nationaliste canadien-français « intransigeant », pour emprunter le terme à Louvigny de Montigny ? Il faut dire que Groulx, pour sa part, est convaincu que la nation canadienne-française a besoin d'un chef qui saura la guider vers son apogée. Selon lui, ce chef doit être en mesure de s'élever au-dessus de la partisanerie politique, afin de privilégier les intérêts de la nation canadienne-française. Il va même jusqu'à présenter Belcourt comme l'un des hommes politiques qui réussit à faire passer les intérêts de la nation avant ceux des partis politiques, à l'instar de Louis-Hippolyte La Fontaine et d'Henri Bourassa (Bock, 2004 : 145).

Étant donné le rôle important que joue Belcourt dans la lutte scolaire franco-ontarienne, il est possible que Groulx ait préféré ignorer certaines caractéristiques de la pensée du sénateur, dont sa volonté de travailler en faveur du Canada, dans un contexte de crise scolaire qui ébranle la communauté franco-ontarienne, afin de l'élever au rang des chefs de la nation canadienne-française.

BIBLIOGRAPHIE

BELCOURT, Napoléon-Antoine (entre 1910 et 1912). Lettre de Napoléon-Antoine Belcourt à Sa Sainteté le Pape Pie X, Université d'Ottawa, Centre de recherche en civilisation canadienne-française (dorénavant CRCCF), Fonds Association canadienne-française de l'Ontario (dorénavant Fonds ACFO), C2/150/1.

BELCOURT, Napoléon-Antoine (1912). *Le français dans l'Ontario,* Montréal, [s. é.], Archives Deschâtelets (dorénavant AD), Fonds Napoléon-Antoine Belcourt (dorénavant Fonds NAB), HH 6021 .B42R 2.

BELCOURT, Napoléon-Antoine (1913). « De l'exercice des droits reconnus à la langue française au Canada », dans [Société du parler français au Canada], *Premier Congrès de la langue française au Canada tenu à Québec du 24 au 30 juin 1912 : compte rendu,* Québec, Imprimerie de l'Action sociale limitée, p. 288-307.

BELCOURT, Napoléon-Antoine (1914). *Regulation 17 Ultra Vires: Argument of Hon. N.A. Belcourt before the Supreme Court of Ontario, November 2nd, 1914,* Ottawa, Imprimerie du Droit, AD, Fonds NAB, HH 6021 .B42R 3.

BELCOURT, Napoléon-Antoine (1915). « La proscription de la langue française dans l'Ontario », discours prononcé à l'Université Laval de Québec, AD, Fonds NAB, HH 6020 .B42R 43.

BELCOURT, Napoléon-Antoine (1916). *Bilingualism: Address Delivered before the Quebec Canadian Club at Quebec, Tuesday, March 28th, 1916,* Québec, The Telegraph Printing Co., AD, Fonds NAB, HH 6021 .B42R 5.

BELCOURT, Napoléon-Antoine (1917). « Conflit des races », *Almanach de la langue française,* 2e année, Montréal, Ligue des droits du français, p. 68-73.

BELCOURT, Napoléon-Antoine (1923a). *National Unity: Report of a Lecture Delivered before the Literary and Athletic Society of the University of Toronto, January 9th 1923,* Toronto, [s. é.], AD, Fonds NAB, HH 6021 .B42R 10.

Belcourt, Napoléon-Antoine (1923b). *The Status of the French Language in Canada*, Sackville (N.-B.), Mount Allison University, AD, Fonds NAB, HH 6021 .B42R 8.

Belcourt, Napoléon-Antoine (1925). « La part réservée au bilinguisme dans l'Ontario », *L'Action française*, vol. XIII, n° 4 (avril), p. 204-221.

Belcourt, Napoléon-Antoine (1926). « Requête de l'honorable N.A. Belcourt à Sa Sainteté Pie XI, Pape, 8 septembre 1926 », CRCCF, Fonds ACFO, C2/150/4.

Belcourt, Napoléon-Antoine (1927). « National Unity », discours prononcé au Canadian Club de Trenton, AD, Fonds NAB, HH 6020 .B42R 27.

Bock, Michel (2004). *Quand la nation débordait les frontières : les minorités françaises dans la pensée de Lionel Groulx*, Montréal, Éditions Hurtubise HMH.

Bourassa, Henri (1910). *Religion, langue, nationalité : discours prononcé à la séance de clôture du XXIᵉ Congrès eucharistique à Montréal, le 10 septembre 1910*, Montréal, Le Devoir.

Bourassa, Henri (1927). « Le problème constitutionnel. Partie III : droits des minorités françaises », *Le Devoir*, 30 décembre, p. 1.

Cecillon, Jack (1995). « Turbulent Times in the Diocese of London: Bishop Fallon and the French-Language Controversy, 1910-1918 », *Ontario History*, vol. 87, n° 4 (décembre), p. 369-395.

Charron, Alphonse-Télesphore, *et al.* (1914). « Humble supplique des Canadiens français d'Ontario au Très Saint Père le Pape Pie X, confiée à Son Éminence le Cardinal Bégin en 1914 », CRCCF, Fonds ACFO, C2/150/1.

Choquette, Robert (1977). *Langue et religion : histoire des conflits anglo-français en Ontario*, Ottawa, Les Presses de l'Université d'Ottawa.

Choquette, Robert (1987). *La foi gardienne de la langue en Ontario, 1900-1950*, Montréal, Bellarmin.

Dutil, Patrice (2005). « Against Isolationism: Napoléon Belcourt, French Canada, and "La grande guerre" », dans David Mackenzie (dir.), *Canada and the First World War: Essays in Honour of Robert Craig Brown*, Toronto, University of Toronto Press, p. 96-137.

Gautier, Charles (1932). « Feu M. le Sénateur Belcourt », *Le Droit*, 8 août, p. 3.

Gervais, Gaétan (1996). « Le Règlement XVII (1912-1927) », *Revue du Nouvel-Ontario*, n° 18, p. 123-192.

Groulx, Lionel (1926). *Dix ans d'Action française*, Montréal, Bibliothèque de l'Action française.

Héroux, Omer (1924). « M. Belcourt : notes et souvenirs », *Le Devoir*, 24 mai, p. 1.

Lacombe, Sylvie (2002). *La rencontre de deux peuples élus : comparaison des ambitions nationale et impériale au Canada entre 1896 et 1920*, Québec, Les Presses de l'Université Laval.

Lamonde, Yvan (2004). *Histoire sociale des idées au Québec*, t. II : *1896-1929*, Montréal, Fides.

« La race canadienne-française rend un digne hommage à l'un de ses dévoués chefs l'hon. sén. Belcourt », *Le Droit*, 26 mai 1924, p. 1 et 8.

« Le Grand Ralliement des Canadiens-Français », *Le Droit*, 23 juin 1913, p. 1, 4-5.

MANN, Susan (2005). *Lionel Groulx et L'Action française : le nationalisme canadien-français dans les années 1920*, Montréal, VLB éditeur.

« Ne vous étonnez pas, Ontariens, si Québec vous boude un peu », *Le Droit*, 10 février 1923, p. 1 et 15.

OLIVER, Peter (1972). « The Resolution of the Ontario Bilingual Schools Crisis, 1919-1929 », *Journal of Canadian Studies = Revue d'études canadiennes*, vol. 7, n° 1 (février), p. 22-45.

« Sachez garder vos traditions intactes et votre langue jusqu'à la dernière syllabe », *Le Droit*, 14 février 1923, p. 1 et 9.

L'intégration de l'Amérique francophone dans l'espace touristique européen : le cas de la Maison Champlain à Brouage (France)

Adeline Vasquez-Parra
Université Libre de Bruxelles

L A MAISON CHAMPLAIN naît d'un projet transnational entrepris par le Conseil régional de Poitou-Charentes et l'ambassade du Canada en France à l'occasion des célébrations du 400ᵉ anniversaire des relations franco-canadiennes. La ministre canadienne du Patrimoine, Sheila Copps, et le président du Conseil général de la Charente-Maritime, Claude Belot, s'étaient alors chargés de lancer les travaux dès 2002 (Jacquet, 2002). Cet anniversaire célébrait notamment les 400 ans de l'entreprise de Pierre Dugua de Monts dans la colonisation de l'île Sainte-Croix (Plagnol, 2003). La Maison Champlain est située dans la ville de Brouage, haut lieu de l'histoire canadienne-française puisqu'elle est à la fois la ville natale de Samuel de Champlain, ancienne ville d'émigration vers la Nouvelle-France au XVIIᵉ siècle, et le port d'attache des chalutiers de pêche à la morue au large de Terre-Neuve au XIXᵉ siècle (Vige et Vige, 1990 : 24). Par ailleurs, son passé historique, qui la situe à la croisée des guerres de religion de la France du XVIᵉ siècle et de l'exportation mondiale de sel à la même période, en a fait un passage obligé pour les touristes de la région.

Pourtant, l'absence d'expositions archéologiques substantielles n'a pas permis au site de la Maison Champlain de promouvoir le patrimoine de façon traditionnelle, au sens où l'entend l'historien tunisien Naim Ghali, qui définit le patrimoine comme « [t]out objet ou ensemble, naturel ou culturel, qu'une collectivité reconnaît pour ses valeurs de témoignage et de mémoire historique et pour qui elle ressent la nécessité de le protéger, de le conserver, de l'approprier, de le mettre en valeur et de le transmettre » (2009 : 404). Ainsi, la Maison Champlain est un lieu qui relie passé et présent en utilisant les nouvelles technologies pour valoriser un patrimoine oral devenu histoire(s).

Francophonies d'Amérique, n° 31 (printemps 2011), p. 109-124

En effet, ce passage de l'histoire patrimoniale traditionnelle (matérielle) à un discours historique (immatériel) mis en scène au moyen d'écrans de télévision installés dans un décor futuriste (les écrans sont entourés de « bulles » transparentes dans lesquelles le spectateur prend place), et organisé de façon thématique et non chronologique, révolutionne en quelque sorte le discours historique généralement répandu dans l'industrie du tourisme de ces vingt dernières années (Breathnach, 2006 : 114). La déterritorialisation de l'histoire du Canada français n'est pourtant pas une nouveauté puisque d'autres sites en dehors du territoire canadien lui sont consacrés (Besnier, 2001 : 34). En effet, la ferme musée d'Archigny, qui commémore les Acadiens réfugiés pendant le Grand Dérangement au XVIIIᵉ siècle dans la région française du Poitou, est un exemple d'introduction pédagogique à l'histoire acadienne au même titre que d'autres sites situés à l'extérieur de l'Acadie (en Louisiane, par exemple). Cette mise en tourisme (synonyme ici de mise en scène) du discours lié au Canada français est, pour certains, la conséquence culturelle de la mondialisation et, pour d'autres, le reflet d'une adaptation à des espaces dialogiques rendus possibles par les nouvelles technologies. En ce sens, le tourisme deviendrait un nouvel espace de préservation des mémoires. En analysant le discours historique déployé à la Maison Champlain, cet article se propose d'interroger les images et les représentations que l'Amérique francophone renvoie aux visiteurs. Il situera également ces représentations dans le rapport qu'elles entretiennent avec leur environnement afin de comprendre les liens qui unissent le discours historique sur l'Amérique francophone et le patrimoine culturel européen.

Brouage, petit village de 150 habitants isolé dans le marais charentais, a donc connu son heure de gloire dans les années 2000 avec des fouilles archéologiques entreprises au cœur de la ville. Submergée par la mer à l'époque romaine, la ville tire son nom de la boue (*broue* en dialecte saintongeais local) qui s'est alors formée au fur et à mesure de la progression des terres. Brouage progressera donc, d'un petit village à un port d'envergure internationale où l'on dit, selon les termes de Nathalie Fiquet, conservatrice de la Maison Champlain, « que c'est une Babel qui parle toutes les langues » (Fiquet, 2010). En effet, marchands et navigateurs affluent du monde entier sur les quais de Brouage durant tout le XVIᵉ siècle. Samuel de Champlain, fondateur de Québec et père de la première implantation française en Amérique du Nord en 1604, grandit donc dans une ville à la fois multiculturelle et ouverte sur l'océan ;

deux caractéristiques qui vont plus tard définir son personnage dans les ouvrages d'histoire de l'Amérique française. Selon Fiquet, « naître à Brouage donne forcément envie d'aller voir derrière ces murailles qu'on a autour de nous » (Fiquet, 2010). L'initiative de la Maison Champlain part donc d'un double constat transatlantique : Brouage est au cœur de l'histoire maritime de par son statut de ville du sel (« cet or blanc », comme on le qualifiait à l'époque de la Renaissance), mais aussi au cœur de l'histoire du Canada puisqu'elle a vu naître l'un de ses pères fondateurs.

L'importance de Brouage dans la mise en valeur du patrimoine national français n'est pourtant que relativement récente puisque ce n'est qu'à la suite (le site avait subi deux campagnes de restauration en 1930 et en 1966) du classement de la place et de son marais au titre de grands sites nationaux en 1989, que l'ancien port attire à nouveau les foules : « Restaurations de grande envergure, animations tous publics, expositions temporaires et permanentes font revivre le navire échoué au milieu des marais » (Champagne, 2010 : 225). Cependant, archéologues et historiens ne prennent pas encore toute la mesure de la riche nature de la ville. Pour Alain Champagne, « [l]a ville de Brouage constitue un exceptionnel réservoir archéologique des XVIe-XVIIe siècles, alors que, dans la plupart des villes françaises, ces niveaux sont souvent inaccessibles, puisque encore densément occupés par l'actuelle trame urbaine et souvent très abîmés par des aménagements des XIXe et XXe siècles » (2010 : 234).

La Maison Champlain est donc indissociable de son environnement immédiat : elle est prétexte, mais aussi contexte dans la mise en valeur du site de Brouage. Cette relation particulière avec le site même où elle se situe fait de la Maison Champlain une zone de contact où le visiteur est amené à prendre connaissance du rôle de Brouage dans l'Histoire. La Maison Champlain devient ainsi non pas gardienne du passé, mais discours sur le passé. Au sens traditionnel du terme, le musée se définit, selon l'anthropologue américain James Clifford, en tant que zone de contact, établissant ainsi une relation entre visiteur et mémoire(s) : « *A contact perspective views all culture-collecting strategies as responses to particular histories of dominance, hierarchy, resistance, and mobilization. And it helps us see how claims to both universalism and to specificity are related to concrete social locations*[1] » (1997: 213).

---

[1]   « Une perspective de contact entrevoit toutes les stratégies de collections culturelles comme des réponses à des histoires particulières de domination, de hiérarchie, de

Dans cette perspective, la Maison Champlain nous interroge par son absence d'objets de « collections » provenant du passé et pose la question de savoir si le patrimoine entendu comme un ensemble discursif, bien que dialogique et ouvert à son environnement, ne le rend pas éphémère. Cette liberté du discours historique par rapport à une territorialité est bien au cœur du dispositif vidéo mis en place à la Maison Champlain. La scénarisation se déroule autour de cinq grands thèmes que sont : « Les prémices de la Nouvelle-France », « Brouage et l'ouverture sur les mers et les origines de Champlain », « Le commerce : moteur de découverte du territoire et prétexte de peuplement », « Apports floristiques et faunistiques de la Nouvelle-France », « La France en Amérique du Nord, la perception populaire de Champlain au cours des siècles » (Gouvernement du Canada, 2004). Les frontières sont floues, les acteurs de l'Histoire sont à la fois Français, Canadiens, maritimes, dénationalisant le discours historique pour l'inscrire dans un mode plus universaliste.

La Maison Champlain réussit à cet effet à concilier deux visions bien distinctes non seulement de l'historiographie du personnage de Samuel de Champlain, mais aussi des premières expéditions françaises dans le Nouveau Monde. Une de ces visions affirme que Champlain était un esprit libre, qui, à l'aide de la Compagnie des Cent-Associés, mit sur pied des projets économiques qui s'opposaient au colbertisme de l'époque, percevant par là l'intérêt commercial des colonies (Litalien et Vaugeois, 2004 : 24). Une autre de ces visions, prédominante au xxᵉ siècle, est celle qui impute à Champlain une volonté d'union avec les Indiens, dans un projet de paix et d'humanisme (« *humanist impulse* », selon les termes de l'historien américain David Hackett Fischer), portant Champlain au rang des symboles post-politiques. Cette vision romantique du personnage, selon Hackett Fischer, ne lui reconnaît pas de réels intérêts personnels ou politiques en Nouvelle-France : « *As distinct from liberty and freedom, he had no idea of liberty and freedom, he describes liberty and freedom as what he called "la vie anglaise"*[2] » (Hackett Fischer, 2009). Cette vision, qui enferme les Français dans un projet « d'amour et de paix » avec les

---

résistance et de mobilisation. Cela nous aide à mieux comprendre comment les revendications appartenant à la fois à l'universalisme et aux spécificités sont toutes reliées à des espaces sociaux concrets. » (Nous traduisons.)

[2]   « Concernant la liberté, il n'avait aucune idée de ce que pouvait recouvrir ce concept, il nommait liberté "la vie anglaise". » (Nous traduisons.)

Indiens, transforme les colonisateurs en figures molles de l'Histoire, reléguant la civilisation canadienne-française au rang des agents passifs de l'histoire économique nord-américaine. Cette fabrication du personnage de Champlain est l'effet d'une vision historique basée sur l'idéalisation de son personnage qui le dédouane, par ailleurs, de toute responsabilité dans l'échec de la colonisation française au Canada. Champlain en ressort grandi, fidèle à la représentation mythique d'un rôle immuable dans l'industrie touristique (Selwyn, 1996 : 45). À l'instar de certains scénarios retraçant l'épopée de Champlain au Nouveau Monde, les descriptions prennent un tour lyrique. Ainsi peut-on entendre, dans le dessin animé de Robert Doucet : « C'est ici dans les dernières années, qu'il a passé les plus beaux moments de sa vie à cultiver son jardin » (1989) ; Champlain devient un homme des Lumières avant l'heure, un personnage voltairien proche de Candide. Le tourisme, tout comme l'industrie cinématographique, devient lui-même production discursive (Chon, 1990 : 6) puisqu'il réinvente ou réaffirme le personnage historique.

La Maison Champlain contribue toutefois à la mise en perspective de l'identité canadienne-française, comme l'expliquent Christine Buzinde et ses collaborateurs : « *The images used to promote tourism rely heavily on ethnic/racial pictorial symbols in order to attract tourists to particular destinations*[3] » (Buzinde, Almeida Santos et Smith, 2006 : 707). Pourtant, associer Brouage au commerce transatlantique, à « l'histoire maritime », selon les termes de l'historien français Dominique Guillemet (2008), fait œuvre de déterritorialisation dans le sens où l'on arrache le lieu à un patrimoine ancré dans le territoire. Une histoire maritime ne s'attache pourtant à aucun territoire si ce n'est celui, vague, de la mer et pose en ce sens la question du patrimoine. Ainsi, pour les anthropologues Jean-Marie Furt et Franck Michel, « l'identité contribue au développement touristique autant que le tourisme contribue, pour sa part, à la refondation des identités. Ces identités, qu'elles soient culturelles, sociales ou politiques, entament alors un processus tantôt de destruction, tantôt de renaissance » (2006 : 7). Ce lien entre Brouage et l'Amérique du Nord est aujourd'hui entretenu comme en témoignent *Les Rendez-vous nomades* de Brouage, qui proposent lectures, spectacles et ateliers gratuits sur le

---

[3] « Les images utilisées pour promouvoir le tourisme reposent en grande partie sur des symboles picturaux ethniques qui attirent les touristes vers des destinations particulières. » (Nous traduisons.)

site de Brouage. Le public y est notamment invité à assister à une lecture déambulatoire, en musique, de textes des XVIIe et XVIIIe siècles portant sur les thématiques du voyage et de la découverte du Nouveau Monde. En ce sens précis, l'identité du territoire devient elle-même plus complexe avec l'activité touristique, qui n'est d'ailleurs pas toujours bien vécue par les populations locales : « *El context en què es pot identificar aquesta nova relació entre turisme, patrimoni i territori apareix caracteritzat per la tensió entre l'esforç de les ciutats per inserir-se competitivament en la globalització econòmica internacional i la reafirmació dels valors diferencials de la identitat local de les mateixes ciutats o regions en què s'ubiquen*[4] » (Morro et Sureda, 2009 : 46).

Les images de la Maison Champlain peuvent aussi se rattacher au pouvoir, qu'il soit politique ou économique. L'historien tunisien Driss Abbassi l'a montré en expliquant que « les représentations touristiques puisent leur origine dans la perception que l'on se fait du passé et du territoire d'un pays, représentations qui évoluent au gré des pouvoirs en place » (2009 : 387). Dans un de ses discours lors d'un voyage officiel au Canada le 2 septembre 1999, Jacques Chirac réaffirmait l'héritage gaulliste à l'origine de la relation affective entre la France et le Québec : « Avec le Québec, notre relation est également très forte, elle est plus affective encore et elle est pour nous tout à fait essentielle » (Chirac, 1999). Insistant aussi sur les dangers, voire les menaces, de la mondialisation, le président Chirac déclarait : « Nous sommes dans un monde qui est marqué par ce que l'on appelle la mondialisation, la globalisation, et qui présente des dangers, qui doit être maîtrisé, humanisé. C'est vrai sur le plan social. C'est peut-être encore plus vrai sur le plan culturel » (Chirac, 1999).

Rappelons, à ce titre, que Jacques Chirac était aussi à l'origine de l'Association internationale des maires francophones (AIMF), conjointe-ment avec le maire de Québec, Jean Pelletier, en 1979. Il souhaitait par *là même* inscrire le partenariat culturel avec l'Amérique francophone dans un discours axé sur les liens bâtis entre francophonies et diversité culturelle plus que dans un contexte transatlantique en tant que tel. Ce

---

[4]   « Le contexte dans lequel on peut identifier cette nouvelle relation entre tourisme, patrimoine et territoire est notamment marqué par des tensions entre les efforts des villes pour s'insérer dans la mondialisation économique internationale et la réaffirmation de valeurs qui différencient les identités locales où se trouvent ces mêmes villes ou régions. » (Nous traduisons.)

discours reléguait peut-être involontairement la relation transatlantique au ban du pluralisme culturel de l'espace francophone, à qui on ne reconnaissait aucune spécificité particulière si ce n'est une uniformité de façade caractérisée par une langue commune. C'est par ce prisme que ce site contribue à singulariser les histoires d'un ensemble francophone dont on sait aujourd'hui qu'il recouvre une multitude de réalités toutes bien différentes les unes des autres (Le Menestrel, 2002 : 473). Au cœur de cet argument se trouve bien évidemment le lien inévitable avec la France, de nature diverse selon les pays francophones avec lesquels elle est liée. Ainsi, le projet de colonisation de Champlain et de la Compagnie des Cent-Associés ne peut pas être mis sur le même plan que la colonisation africaine et ses grands projets impérialistes. Dans son article sur le Musée du Quai Branly, autre empreinte culturelle du mandat politique de Jacques Chirac, Herman Lebovics (2007) retrace les aspects problématiques de la visite de ce musée et impute à son existence la volonté française de faire revivre, en l'espace d'une visite, le prestige de son passé colonial. En effet, la collection d'objets « d'arts primitifs » invite à une interrogation sur la nature de la collection : est-elle un déploiement culturel ou une relecture du passé à la lumière d'objets trouvés par les colonialistes et illégitimement ramenés chez eux ?

Si la Maison Champlain s'est transformée d'un lieu de patrimoine en un lieu de connaissance, cela ne va pas sans problème dans l'organisation de cette même connaissance.

> La question de savoir qui détient l'autorité légitime est fondamentale pour comprendre comment s'imposent ou non certaines catégories et certaines définitions de soi ou des autres. Ainsi l'anthropologie du tourisme révèle-t-elle le caractère fluctuant des légitimités et des identités : le tourisme déstabilise certaines autorités traditionnelles, en renforce d'autres ; il cristallise des revendications identitaires ou au contraire participe de leur dissolution ; il transforme l'histoire et les modes de vie en récit et en produits (Cousin et Réau, 2009 : 27).

De cette façon, réfléchir à la source d'autorité dans la transmission du discours historique au sein des espaces touristiques, c'est aussi rendre compte des sources de pouvoir qui orientent les représentations ethnoculturelles normées.

De surcroît, comme le montre la sociolinguiste Monica Heller (2008), le mouvement de tertiarisation de l'économie en Occident a durablement affecté ses politiques linguistiques et culturelles. Les minorités francophones de l'est du Canada se sont, par exemple, tournées dans les années 1980 vers la mise en tourisme de leur culture à la suite d'un vaste mouvement de désindustrialisation. Le même constat pourrait être dressé en France et en Belgique avec l'apparition des « éco-musées » qui retraçaient l'histoire industrielle de certaines régions au fur et à mesure que ce secteur entier de l'économie disparaissait (Steinecke, 1993 : 4). La Maison Champlain a vu le jour dans ce contexte de bouleversement économique. Aussi, le tourisme est-il venu redonner une seconde vie à la région des Marennes où se trouve le site. Brouage a d'ailleurs développé toute une économie basée sur le Canada (ou plutôt la représentation touristique du Canada) comme la vente de produits « typiquement » canadiens : cartes postales du Québec, drapeaux canadiens, sirop d'érable, etc. Cet ensemble hétéroclite d'objets authentifie par ailleurs l'expérience du touriste et remplace peut-être inconsciemment l'absence de patrimoine historique concret. Le discours historique devient alors un produit de consommation que l'on adapte à un patrimoine revisité et parfois même recréé afin d'étayer en quelque sorte la mise en tourisme (Hall et Tucker, 2004 : 34). Cette vision du musée en tant qu'entreprise a déjà été soulignée par Neil Harris : « *If attractiveness and public appeal become the museum's objectives, how in effect does it differ from any commercial institution which exists chiefly for the purpose of selling[5]?* » (1990 : 81) Cette adaptation commerciale de l'espace touristique est par ailleurs renforcée par le rôle croissant accordé aujourd'hui aux nouvelles technologies.

À la Maison Champlain, l'intégration de ces dernières rend compte d'une réalité sociale puisqu'un espace est réservé à la représentation actuelle de Champlain dans un film qui rassemble personnalités (Bernard Pivot, Herménégilde Chiasson) et autres participants anonymes autour du thème : « Que représente Champlain aujourd'hui pour vous ? » Cette volonté d'inscrire l'histoire de l'Amérique francophone dans une réalité sociale est la grande originalité de la Maison Champlain qui, contrairement au musée traditionnel, n'enferme pas le patrimoine dans une temporalité définie. Les expositions annuelles consacrées aux cultures nord-américaines en témoignent également. Pour Mimi Sheller et John Urry : « *If tourism is transforming the materiality of many "real places", it is also having a deep impact on the creation of virtual realities and*

---

5   « Si l'attraction et la popularité deviennent les buts du musée, en quoi cette dernière institution diffère-t-elle d'un quelconque commerce qui n'existe que dans un but mercantile ? » (Nous traduisons.)

fantasized places[6] » (2004 : 4). De la même façon, dans une entrevue pour le journal économique français *l'Expansion*, la sociologue française Josette Sicsic déclare que le tourisme est aujourd'hui transformé par l'intrusion abrupte des nouvelles technologies : « La préparation du voyage a complètement changé. Grâce à l'Internet, on s'informe, on compare, on lit des commentaires, on participe à des forums, on visionne des images[7] ». Cette intégration des nouvelles technologies, de la préparation du voyage jusqu'à son achèvement, devient alors bien plus qu'un signe des temps modernes ; elle transforme le visiteur en acteur de son propre voyage, comme l'indiquent les sociologues israéliens Yaniv Gvili et Yaniv Poria : « *The Internet also has a growing effect on various aspects of tourist behavior, including search for information before and during the tourist experience*[8] » (2005 : 197). En conséquence, si l'identité du patrimoine, des localités, voire des États, est aujourd'hui revisitée en raison du tourisme, celle du touriste l'est encore plus. Comme l'indiquent Salah Wahab et Chris Cooper : « *Populations of various countries respond to this globalization of economies, markets, systems and cultures by looking at their own identities, as in contrast to globalization lies localisation which is an opposing force*[9] » (2001: 6). À ce titre, le concept du sociologue Roland Robertson, qui parle de « glocalisation » pour définir ces phénomènes globaux « qui se donnent des limites et qui doivent s'adapter aux réalités locales », semble approprié pour qualifier le développement du tourisme portant sur l'Amérique francophone en dehors du territoire nord-américain (2004 : 1).

Les touristes ne sont d'ailleurs plus amenés à se différencier les uns les autres comme ils pouvaient le faire avant l'introduction des nouvelles technologies dans l'espace touristique. En effet, ces dernières apportent

---

[6] « Si le tourisme transforme la matérialité de beaucoup de "vrais espaces", cela ne va pas sans conséquence sur la création de réalités virtuelles et d'endroits fantasmés. » (Nous traduisons.)

[7] « Entretien de Bernard Poulet avec Josette Sicsic », *L'Expansion*, nº 756, octobre 2010, p. 120.

[8] « Internet a également un effet grandissant sur différents aspects des comportements touristiques incluant la recherche d'information avant et pendant l'expérience touristique. » (Nous traduisons.)

[9] « Les populations mondiales répondent à la mondialisation des économies, des marchés, des systèmes et des cultures, en explorant leur propre identité, on trouve donc, à l'inverse de la mondialisation, la localisation qui devient une force contraire. » (Nous traduisons.)

l'émotion et l'identification, aspects fondamentaux de la culture média-
tique qui contribue à effriter encore un peu plus la différence entre tourisme
culturel et divertissement. Comme l'analysent les historiennes belges
Chantal Kasteloot et Cécile Vanderpelen pour le musée de la Première
Guerre mondiale, In Flanders Fields, de Ypres (Belgique) : « Tour à tour,
le visiteur est dans les groupes de mobilisés, il est soldat sur le front, il
suffoque lorsque l'on recourt aux gaz […]. Mais l'historien s'interroge :
l'émotion est-elle l'instrument adéquat pour dénoncer l'horreur surtout
lorsqu'elle se manifeste comme telle ? » (2000 : 57) L'utilisation de matériel
audiovisuel renforce une plus grande capacité à l'émotion, s'éloignant
ainsi de la réalité historique à laquelle il prétend en mêlant faits et effets :
« *As regards the tourism themes, visual portrayals of ethnic/racial minorities*
were predominant in the history and art, and entertainment themes, both
of which are often associated with culture[10] » (Buzinde, Almeida Santos et
Smith, 2006 : 720). Ainsi, la version filmique des événements historiques
semble moins faire œuvre de pédagogie que de création d'une culture
de masse mise à la portée du touriste anonyme, et ce, quelle que soit sa
quête.

Les lieux historiques (à forte charge symbolique) se targuent
donc d'être à la fois des lieux de recréation et de récréation, comme le
mentionne l'historien finlandais Auvo Kostiainen : « *Historical tourism*
routes are clearly marketed as products to be consumed by tourists, who wish
to experience a recreated version of the past[11] » (2008 : 18). Néanmoins, le
tourisme, devenu espace privilégié d'éducation à propos de l'Amérique
francophone en Europe, ne peut transmettre à un public essentiellement
non nord-américain la réalité sociale qu'il constitue. À ce titre, relayé
par les nouvelles technologies comme Internet, le tourisme peut susciter
un intérêt plus grand pour l'Amérique francophone en Europe sans
toutefois dépasser ses propres limites. Il ne peut devenir un espace
de rencontres humaines, où de telles rencontres ne s'effectueraient
qu'indépendamment de sa volonté. Le tourisme ne remplace ni le voyage
ni l'éducation dans la rencontre avec l'Autre, mais fait plutôt office de

---

[10]   « Au regard des thèmes touristiques, les portraits visuels des minorités raciales et
ethniques étaient prédominants dans l'histoire, les arts et le divertissement qui se
confondent souvent derrière la culture. » (Nous traduisons.)

[11]   « Les routes touristiques d'histoire sont clairement marchandisées comme des produits prêts à la consommation par des touristes qui désirent expérimenter une version
ré-crée du passé. » (Nous traduisons.)

prélude ou de démystification à cette rencontre. À la Maison Champlain, le visiteur ne vient pas à la rencontre de l'autochtone, mais à la rencontre d'un Autre distant dans l'espace et dans le temps. Ce décentrement de l'Histoire au profit d'histoires conjointes entre deux continents en fait un lieu riche en créativité. Comme l'indique André Rauch : « La rencontre touristes / autochtones ne se réduit sans doute pas à quelques rites d'apaisement, ni à quelques figures policées des rapports sociaux, mais s'apparente plutôt à la mise en scène de multiples confrontations » (2002 : 389). L'Autre est pourtant vécu ici en tant qu'image. Les nouvelles technologies posent ainsi le problème de l'image-persuasion, pour reprendre les termes de Lebovics qui englobe, en un tout formaté, les nuances de représentations des cultures proposées : « *Contemporary knowledge of global cultural networks puts the museum's simple depiction of cultural interconnections in a way that has the unintended effect of primitizing the description of how the cultures on display were early connected to the elaborating world system*[12] » (2007 : 11). À ce titre, le thème si problématique de l'« aventure » (qui représente tout de même le colonialisme français du XVIIe siècle) est à peine évoqué à la Maison Champlain, le thème du « voyage » transatlantique (qui causait des milliers de morts à bord des bateaux) est romancé. Lebovics explique le traitement réduit de l'information muséale par le fait que la vie culturelle est aujourd'hui transformée en produit de consommation par la société du spectacle, qui induit le musée à effectuer des « changements » radicaux sous la pression économique : « *It is true that everywhere museums today need the money that large publics bring, and that they compete with television, high tech films, and Disney*[13] » (2007 : 14). Pourtant, comme l'a bien montré l'historien Martin Pâquet, l'utilisation de tactiques de communication au sein d'espaces touristiques reflète une crise identitaire profonde : « Fidèles aux procédés à la mode du *storytelling*, ils [les musées] reposent aussi sur une conception postmoderne de la virtualité des sociétés » (2010 : 156).

---

[12]   « La connaissance contemporaine des réseaux culturels globaux rend la simple description d'interconnections culturelles par le musée d'une façon telle qu'elle produit l'effet insoupçonné de simplifier la description du "comment" les cultures montrées étaient très tôt connectées entre elles dans un système-monde élaboré. » (Nous traduisons.)

[13]   « Il est vrai qu'à l'heure actuelle, les musées ont besoin de l'argent des masses, et entrent donc en concurrence avec la télévision, les films high-tech et Disney. » (Nous traduisons.)

En effet, le discours historique est pour lui « offert sans contextualisation et sans mode d'emploi, se cantonnant principalement à l'expérience esthétique et émotionnelle, le passé comme spectacle fournit alors un arsenal de clichés qui alimenteront la production d'opinions micro politiques et micro identitaires » (2010 : 157). Les nouvelles technologies contribuent, au sein des musées, au développement de l'oralité, qui participe à la dématérialisation des cultures. Cette dernière, construction humaine s'il en est, matérialisée traditionnellement dans les musées sous la forme de textes, peintures ou objets, devient virtuelle et par là même, se voit privée d'existence concrète. Il est intéressant de noter que non seulement la production humaine n'est plus présente dans la forme, mais qu'elle disparaît également du fond. En effet, le discours virtuel s'applique à faire de son objet les causes immatérielles de l'Histoire humaine, comme l'environnement, à l'instar de certains films projetés à la Maison Champlain, mais aussi dans d'autres musées européens (Richards, 1996 : 45). L'immatérialité du discours, surtout lorsqu'elle est disjointe de toute trace patrimoniale ou archéologique du passé, peut donc éventuellement renvoyer à une vision antihumaniste des sociétés humaines.

Il semble donc que la promotion de l'histoire de l'Amérique francophone en Europe au sein de l'industrie du tourisme n'aille pas sans problèmes. Si le tourisme contribue à la connaissance d'une information défaillante dans les milieux traditionnels de transmission (tels que l'école), il ne peut à lui seul devenir le gardien de liens culturels dynamiques entre l'Europe et l'Amérique francophone. Ces deux institutions que constituent l'éducation et le musée se doivent donc de travailler à des projets communs, comme l'explique Michel Allard : « En se dotant d'un ensemble d'activités structurées à des fins éducatives, le musée est devenu un véritable lieu d'éducation formelle » (2000 : 121). Le dialogue entre ces deux institutions culturelles pourrait notamment autoriser une meilleure gestion du discours historique, qui semble aujourd'hui entièrement livré à l'économie de marché et au bon vouloir du consommateur. D'autre part, comment prévoir l'impact à long terme sur l'identité canadienne-française de la déterritorialisation du discours historique ? Cette question reste en suspens et ne recevra de réponses qu'au cours des années à venir qui détermineront véritablement la relation encore instable entre tourisme et discours historique. Pourtant, il est certain que le tourisme aujourd'hui amène de nouvelles pratiques culturelles et influence l'identité du territoire : avant la remise en valeur touristique de Brouage, la ville n'était associée à Samuel de Champlain que par une plaque commémorative. Elle est depuis associée au Canada français, de son église à son école, renforçant des liens d'amitié transatlantiques, tout en permettant à une petite localité de renaître de ses cendres.

BIBLIOGRAPHIE

ABBASSI, Driss (2009). « De la colonie à l'État indépendant : le tourisme en Tunisie entre propagande et pédagogies », dans Colette Zytnicki et Habib Kazdaghli (dir.), *Le tourisme dans l'Empire français : politiques, pratiques et imaginaires (XIXe-XXe siècles)*, Paris, Société française d'histoire d'outre-mer, p. 387-398.

ALLARD, Michel (2000). « Le musée, agent de changement en éducation », dans Serge Jaumain (dir), *Les musées en mouvement : nouvelles conceptions, nouveaux publics (Belgique, Canada)*, Bruxelles, Éditions de l'Université de Bruxelles, p. 121-130.

AUGERON, Mickaël, Jacques PÉRET, Thierry SAUZEAU (dir.) (2010). *Le golfe du Saint-Laurent et le Centre-Ouest français : histoire d'une relation singulière (XVIIe-XIXe siècle)*, Rennes, Presses universitaires de Rennes.

BESNIER, Sophie (2001). *Les lieux de mémoire québécois et acadiens en Charente-Maritime*, mémoire de maîtrise, La Rochelle, Université de La Rochelle.

BREATHNACH, Teresa (2006). « Looking for the Real Me: Locating the Self in Heritage Tourism », *Journal of Heritage Tourism*, vol. 1, n° 2, p. 100-120.

BUZINDE, Christine N., Carla ALMEIDA SANTOS et Stephen L. J. SMITH (2006). « Ethnic Representations: Destination Imagery », *Annals of Tourism Research*, vol. 33, n° 3 (juillet), p. 707-728.

CHAMPAGNE, Alain (2010). « Brouage, une ville entre histoire et archéologie (XVIe-XVIIe siècle) », dans Mickaël Augeron, Jacques Péret et Thierry Sauzeau (dir.), *Le golfe du Saint-Laurent et le Centre-Ouest français : histoire d'une relation singulière (XVIIe-XIXe siècle)*, Rennes, Presses universitaires de Rennes, p. 225-236.

CHARTIER, Jean (1997). « De Gaulle s'était adressé aux Québécois dès 1940 », *Le Devoir*, 23 juillet, [En ligne], [http://www.vigile.net/spip.php?page=archives&u=http://archives.vigile.net/pol/nation/chartier1940.html] (25 novembre 2010).

CHIRAC, Jacques (1999). « Déclaration de M. Jacques Chirac, Président de la République, sur les relations entre la France et le Canada et la France et le Québec et sur la défense de la francophonie, Québec le 2 septembre 1999 », sur le site Vie-publique.fr, réalisé par la Direction de l'information légale et administrative, [En ligne], [http://lesdiscours.vie-publique.fr/pdf/997000161.pdf] (25 novembre 2010).

CHON, Kaye S. (1990). « The Role of Destination Image in Tourism: A Review and Discussion », *The Tourist Review*, vol. 45, n° 2, p. 2-9.

CLIFFORD, James (1997). *Routes, Travel and Translation in the Late Twentieth Century*, Cambridge, Harvard University Press.

COMMUNE DE HIERS-BROUAGE (2006). [En ligne], [http://www.hiers-brouage.fr/] (20 novembre 2010).

COSTE, George (2003). « L'inventaire des lieux de mémoire de la Nouvelle-France en Poitou-Charentes », *In Situ : revue des patrimoines*, n° 3 (printemps), [En ligne], [http://www.insitu.culture.fr/article.xsp?numero=3&id_article=d1b-823] (20 novembre 2010).

COUSIN, Saskia, et Bertrand RÉAU (2009). « Tourisme », *EspacesTemps.net*, 29 juillet, [En ligne], [http://www.espacestemps.net/document7890.html] (25 novembre 2010).

DOUCET, Robert (réalisateur) (1989). *En quête d'un pays* [court métrage d'animation], réalisation, dessins et animation : Robert Doucet ; texte : Eunice Macaulay, basé sur les journaux de Samuel de Champlain, production : Office national du film du Canada, 8 min 8 s, [En ligne], [http://www.onf.ca/film/En_quete_d_un_pays/] (25 novembre 2010).

« Entretien de Bernard Poulet avec Josette Sicsic », *L'Expansion*, n° 756, octobre 2010, p. 119-122.

FIQUET, Nathalie (2010). *L'épopée de Champlain, de Brouage à Québec* [enregistrement vidéo], production : Mativi Poitou-Charentes (chaîne de télévision sur Internet), 8 avril, 6 min 14 s, [En ligne], [http://www.dailymotion.com/video/x50xc7_l-epopee-de-champlain-de-brouage-a_news] (20 novembre 2010).

FURT, Jean-Marie, et Franck MICHEL (dir.) (2006). *Tourismes et identités*, Paris, L'Harmattan.

GHALI, Naim (2009). « Tourisme culturel en Tunisie : état des lieux et perspectives », dans Colette Zytnicki et Habib Kazdaghli (dir.), *Le tourisme dans l'Empire français : politiques, pratiques et imaginaires (XIXᵉ-XXᵉ siècles)*, Paris, Société française d'histoire d'outre-mer, p. 399-411.

GOUVERNEMENT DU CANADA (2004). « La Maison Champlain à Brouage », *Canada-France, 1604-2004*, [En ligne], [http://www.canada-2004.org/maisonchamplain/index.php?langue=FR] (20 novembre 2010).

GUILLEMET, Dominique (2008). « L'Amérique française ou "la mémoire partagée" », dans Marc St-Hilaire, Alain Roy, Mickaël Augeron et Dominique Guillemet (dir.), *Les traces de la Nouvelle-France au Québec et en Poitou-Charentes*, Sainte-Foy, Les Presses de l'Université Laval, p. 12-14.

GVILI, Yaniv, et Yaniv PORIA (2005). « Online Mass Customization: The Case of Promoting Heritage Tourist Websites », *Anatolia*, vol. 16, n° 2, p. 194-206.

HACKETT FISCHER, David (2009). *The French Vision for North America* [enregistrement vidéo], interviewer : Richard Borkow ; vidéographe : Andrada Productions ; éditeur : Richard Anthony Blake, Brandeis University, Waltham, Massachusetts, 8 min 23 s,

22 mai, [En ligne], [http://www.youtube.com/watch?v=YNoj2OJuFxA&feature=rel ated] (20 novembre 2010).

HALL, Michael C., et Hazel TUCKER (dir.) (2004). *Tourism and Postcolonialism: Contested Discourses, Identities and Representations*, New York, Routledge.

HARRIS, Neil (1990). *Cultural Excursions: Marketing Appetites and Cultural Tastes in Modern America*, Chicago, University of Chicago Press.

HELLER, Monica (2008). « Competència entre ideologies lingüístiques » [enregistrement vidéo], jornades de la Càtedra de multilingüísme Linguamón, Universitat Oberta Catalunya, Barcelona, 7 juillet, 1 h 15 min 9 s, [En ligne], [http://www.youtube.com/watch?v=KElfKtFHz7g] (25 novembre 2010).

JACQUET, Christophe (2002). « Une ministre canadienne inaugure le chantier de la Maison Champlain », *Sud-Ouest*, Charente-Maritime, juillet, p. 12-13.

KASTELOOT, Chantal et Cécile VANDERPELEN (2000). « De l'historien partenaire à l'historien alibi », dans Serge Jaumain (dir), *Les musées en mouvement : nouvelles conceptions, nouveaux publics (Belgique, Canada)*, Bruxelles, Éditions de l'Université de Bruxelles, p. 53-62.

KOSTIAINEN, Auvo (2008). « Historical Routes Re-invented for Tourism », dans Auvo Kostiainen et Taina Syrjämaa (dir.), *Touring the Past: Uses of History in Tourism*, Joensuu, The Finnish University Network for Tourism Studies.

LEBOVICS, Herman (2007). « Echoes of the "Primitive" in France's Move to Postcoloniality: The Musée du Quai Branly », *Globality Studies Journal*, n° 4 (février), p. 1-18, [En ligne] [https://globality.cc.stonybrook.edu/].

LE MENESTREL, Sara (2002). « Expérience louisianaise, figures touristiques et faux-semblants », *Ethnologie française*, « Touriste, autochtone, qui est l'étranger? », vol. 23, n° 3, p. 461-473.

LITALIEN, Raymonde, et Denis VAUGEOIS (dir.) (2004). *Champlain, la naissance de l'Amérique française*, Sillery, Les Éditions du Septentrion.

MORRO, Antoni, et Jaume SUREDA (2009). *El turisme cultural*, Barcelona, Universitat Oberta de Catalunya.

PÂQUET, Martin (2010). « Entre cacophonie des interprétations et juste rapport au passé : sur la célébration du présent et le passé comme spectacle », dans Éric Bédard et Serge Cantin (dir.), *L'histoire nationale en débat : regards croisés sur la France et le Québec*, avec la coll. de Daniel Lefeuvre, Paris, Riveneuve éditions, p. 147-164.

PLAGNOL, Olivier (2003). « Samuel Champlain, de retour à la maison », *Sud-Ouest*, Charente-Maritime, avril, p. 6-7.

RAUCH, André (2002). « Le tourisme ou la construction de l'étrangeté », *Ethnologie française*, vol. 23, n° 3, p. 389-392.

RICHARDS, Greg (1996). *Cultural Tourism in Europe*, Wallingford, CAB International Publishing.

ROBERTSON, Roland (2004). « Nous vivons dans un monde glocalisé », *Le Courrier*, 15 juin, [En ligne], [http://www.lecourrier.ch/nous_vivons_dans_un_monde_glocalise] (6 décembre 2010).

SELWYN, Tom (1996). *The Tourist Image, Myths and Myth Making in Tourism*, New York, John Wiley and Sons Editions.

SHELLER, Mimi, et John URRY (dir.) (2004). *Tourism Mobilities: Places to Play, Places in Play*, Oxford, Routledge.

STEINECKE, Albrecht (1993). « The Historical Development of Tourism in Europe », dans Wilhelm Pompl et Patrick Lavery (dir.), *Tourism in Europe: Structures and Developments,* Wallingford, CAB International Publishing, p. 3-12.

ST-HILAIRE, Marc, Alain ROY, Mickaël AUGERON et Dominique GUILLEMET (dir.) (2008). *Les traces de la Nouvelle-France au Québec et en Poitou-Charentes*, Sainte-Foy, Les Presses de l'Université Laval.

UNIVERSITÉ LAVAL. CENTRE INTERUNIVERSITAIRE D'ÉTUDES QUÉBÉCOISES (2004). *Bulletin de l'Inventaire des lieux de mémoire de la Nouvelle-France*, vol. 4, n° 1 (octobre), [En ligne], [http://www.memoirenf.cieq.ulaval.ca/quebec/bulletins/Bulletin_4_1.pdf] (6 décembre 2010).

VIGE, Eliane, et Jimmy VIGE (1990). *Brouage : capitale du sel et patrie de Champlain,* Saint Jean d'Angély, [Bordessoules].

VILLENEUVE, Janique (2010). « Sur les traces des explorateurs », *Sud-Ouest*, Charente-Maritime, 29 juillet, [En ligne], [http://www.sudouest.fr/2010/07/29/sur-les-traces-des-explorateurs-149554-1364.php] (20 novembre 2010).

WAHAB, Salah, et Chris COOPER (dir.) (2001). « Tourism, Globalisation and the Competitive Advantage of Nations », dans *Tourism in the Age of Globalisation,* London, Routledge, p. 3-21.

Le Festival Théâtre Action en milieu scolaire comme lieu de rencontre

Mariette Théberge et Marie-Eve Skelling Desmeules
Université d'Ottawa

D'ENTRÉE DE JEU, un festival appelle une interrelation entre les participants. Le Festival Théâtre Action en milieu scolaire n'échappe pas à cette visée. Regroupant chaque année plus de 300 élèves âgés de quinze à dix-huit ans, issus des écoles secondaires de langue française de l'Ontario, ce festival fait la promotion du théâtre auprès de ces adolescents tout en situant son action de formation et d'information dans le contexte de la minorité linguistique francophone ontarienne. Il est organisé par Théâtre Action, organisme voué au développement du théâtre professionnel, communautaire et étudiant de l'Ontario – province qui compte 5 % de francophones et qui est située immédiatement à l'ouest du Québec. C'est dans le cadre des activités de théâtre étudiant que le Festival Théâtre Action en milieu scolaire a lieu en alternance, les années impaires à Sudbury, en collaboration avec l'Université Laurentienne, et les années paires à Ottawa, en partenariat avec le Département de théâtre de l'Université d'Ottawa et l'École secondaire publique De La Salle. Il en était à sa treizième édition en 2010 et comptait alors 501 participants : 327 élèves, 42 enseignants et 1 stagiaire, 3 animateurs culturels, 11 étudiants et 2 professeurs d'université, 41 artistes et 74 bénévoles (Théâtre Action, 2010 : 6).

C'est de cette édition dont il est question dans cet article. Nous en abordons l'étude en nous basant sur une approche de recherche phénoménologique heuristique qui a « pour objet l'intensité de l'expérience d'un phénomène telle qu'un chercheur et des co-chercheurs l'ont vécu [*sic*] » (Mucchielli, 1996 : 195) et qui reconnaît, comme principe fondamental, la connaissance d'un phénomène issue de l'introspection, du dialogue et de l'analyse de l'expérience personnelle. Cette approche méthodologique, qui renvoie au questionnement du chercheur et des cochercheurs, exige la description et l'analyse des faits vécus et nécessite une réflexion subjective et intersubjective de l'expérience, ce qui permet d'approfondir la signification de l'expérience ou de l'événement et offre la possibilité de tenir des propos pouvant amorcer d'autres réflexions.

En considérant que la rédaction de cet article peut constituer pour nous une occasion de complicité et de compréhension du travail de recherche, nous nous proposons, en nous basant sur l'approche heuristique, de réfléchir à la signification de ce festival, tout en assumant nos subjectivités et en partant de ce que nous sommes :

> Je sais jusqu'à quel point l'expérience d'un festival peut être marquante : à la fin juin 1976, au retour du festival provincial organisé par Théâtre Action à Cornwall, je donnais ma démission de l'enseignement et m'engageais dans un parcours artistique en Ontario français auprès du Théâtre d'la Corvée, puis de Théâtre Action, où j'ai travaillé comme responsable du secteur professionnel. Ce n'est que dix ans plus tard que je suis retournée faire des études de maîtrise et de doctorat qui m'ont conduite aux recherches actuelles et à l'enseignement de la didactique des arts à la Faculté d'éducation de l'Université d'Ottawa. Les forces vives qui s'exercent dans un lieu de rencontre comme celui d'un festival de théâtre demeurent toujours présentes dans ma mémoire, et l'écriture de ce texte me permet aujourd'hui d'approfondir leurs diverses significations (Mariette Théberge).

> Tout au long de mon parcours scolaire, aucune année ne s'est passée sans que je me sois inscrite à une formation en théâtre, que celle-ci soit dans un contexte scolaire ou parascolaire. Pourtant, le Festival Théâtre Action est ma première expérience d'un festival de théâtre en milieu scolaire. J'y ai donc participé avec la fébrilité de l'élève qui y assiste pour la première fois, l'étonnement de la diplômée d'une école de théâtre qui n'avait encore jamais rien vécu de pareil, et la curiosité de la stagiaire en formation à l'enseignement qui accompagne un groupe de participants. Ce festival, où les expériences se succèdent et où les rencontres se multiplient, a positivement transformé ma vision de l'expérience artistique en milieu scolaire (Marie-Eve Skelling Desmeules).

Selon l'approche méthodologique adoptée, nous sommes participantes à la recherche et considérons que le lieu de rencontre d'un festival comme celui de Théâtre Action est pluriel. Il est cette ville et ce village d'où l'on part, cette école que l'on représente, cet autobus et cette automobile où l'on s'entasse pendant quelques minutes ou des heures pour se rendre à destination, ce hall d'entrée où l'on s'inscrit, ces coulisses où l'on attend, cette scène où l'on se produit, cette salle d'ateliers et de spectacles où l'on peut vivre une expérience de rencontre avec l'art, cette rue où l'on marche seul ou ensemble d'un spectacle à un autre, cette cafétéria et ce restaurant où l'on partage des repas et des idées, cette chambre d'hôtel et ce gymnase où l'on dort trop peu de temps, cette salle où l'on festoie. Ce lieu pluriel se combine aussi à un espace imaginaire, qui fait en sorte qu'une mémoire vive est activée par des odeurs, des images, des propos qui contribuent à l'effervescence et à l'intensité du moment présent.

Le festival implique aussi la notion de rencontre, qui s'inscrit dans un processus identitaire où le rapport à soi et à l'autre suscite une réflexion et s'appuie sur une ouverture aux possibles à partir de soi et de l'autre, en relation avec l'art théâtral dans le contexte d'évolution du fait français en Ontario. Selon nous, ce festival propose plusieurs types de rencontre par la reconnaissance du fait « d'être ensemble », comme troupe de théâtre ou participants d'une école, comme enseignants membres d'une même corporation professionnelle, comme artistes œuvrant dans un même milieu, comme organisateurs faisant la promotion de l'expérience de l'art, comme bénévoles pour qui le théâtre est essentiel à la qualité de vie d'une communauté, comme membres de la francophonie partageant une allégeance à l'art et à la culture de langue française en Ontario. Cet « être ensemble », qui suscite « la présence en soi de l'altérité », se crée et se rompt dans la spontanéité du moment présent vécu au festival et confronte la « fragilité insoutenable et pourtant définitoire » (Paré, 2001 : 105) de l'activité artistique ancrée au quotidien dans la dimension minoritaire, trop souvent source d'isolement. Le festival donne alors un souffle à la difficulté d'être adolescent, enseignant, artiste, organisateur, bénévole amateur de théâtre, membre d'une francophonie qui déploie des efforts constants afin de contrer l'assimilation croissante. C'est du moins ce que notre témoignage nous amènera à explorer dans les trois parties suivantes, qui font de l'expérience le fil conducteur de notre réflexion. La première partie traite de l'expérience d'adolescents, de parents et d'enseignants en ciblant particulièrement la possibilité de rencontre de soi et de l'autre lors de la préparation et de la tenue du festival. La deuxième partie centre la discussion sur l'expérience de la rencontre avec l'art lors des ateliers de formation et de la présentation de spectacles. La troisième partie accentue la réflexion sur l'expérience de la francophonie minoritaire ontarienne et l'expérience du savoir sur cette minorité, sur l'art, sur soi et sur l'autre dans le contexte du festival, en soulignant la tension existante entre les instances institutionnelles des domaines de l'éducation et des arts, et la nécessité de leur complémentarité.

Le Festival Théâtre Action en milieu scolaire comme lieu de rassemblement

L'expérience du Festival Théâtre Action en milieu minoritaire s'amorce bien avant sa tenue au mois d'avril et se poursuit bien au-delà de son déroulement. Elle prend racine dans les classes de théâtre et dans les troupes d'élèves, dès qu'il est question au cours des mois précédant l'événement d'y présenter un spectacle et d'organiser le voyage. Le festival se prépare longtemps d'avance et pour ce faire, il reçoit l'appui des organisateurs employés par Théâtre Action pour voir à sa mise en œuvre. Nous abordons, dans cette première partie, la question de la rencontre de soi et de l'autre à travers l'expérience d'être ensemble dans le temps consacré à la préparation au festival et lors de sa tenue.

La rencontre de soi et de l'autre lors de la préparation au festival

À l'instar de la conception de John Dewey selon laquelle « [i]l y a constamment expérience, car l'interaction de l'être vivant et de son environnement fait partie du processus même de l'existence » (2005 : 80), l'expérience de la préparation au festival offre diverses possibilités de rencontre de soi et de l'autre.

En tout premier lieu, il importe autant pour l'élève que pour l'enseignant de s'engager à participer, ce qui est un acte volontaire et se fait en relation avec soi et avec les autres. Par exemple, si l'élève suit déjà des cours de théâtre et fait partie d'une troupe, il entendra parler du festival par des pairs qui y ont déjà assisté ou par un enseignant qui compte les accompagner. Il évaluera alors son intérêt et prendra les renseignements nécessaires pour obtenir la permission de ses parents. Cette étape est en soi un moment important où il peut y avoir rencontre entre adolescent et parents. Selon la relation de confiance établie entre eux ou la manière d'assumer le rôle parental, la décision de laisser l'adolescent aller au festival prend des connotations diverses et peut permettre de réaliser que la participation à un festival comme celui de Théâtre Action constitue une occasion de sortir du giron familial.

Dès l'instant où il est question de participation au festival, une chimie relationnelle s'installe et une mouvance s'amorce. Par exemple, pour un élève qui a de la difficulté à obtenir la permission de ses parents, l'enseignant peut devenir un complice qui l'aide à réaliser un de ses rêves.

Dans un autre cas, la discussion qui entoure la participation au festival peut resserrer les liens et aider les parents à comprendre la manière dont un adolescent assume le fait de grandir et d'élargir son cercle d'expériences. À cette étape se posent les questions suivantes : « Pourquoi tiens-tu à y aller ? Qu'est-ce que cela va t'apporter ? » Répondre à ces questions exige de la part des élèves un regard sur soi ainsi qu'une capacité d'entrer suffisamment en contact avec son entourage pour expliquer son choix. Une fois la permission obtenue, l'élève confirme ainsi son engagement en acquittant les frais qui couvrent une partie des dépenses engagées pour le déplacement.

La sollicitation de la permission constitue une occasion de rencontre entre parents et enseignants. Confrontés à une situation où la complémentarité des tâches de supervision s'exerce, ils apprennent à se connaître, à échanger sur leur vision respective au sujet de la valeur qu'ils accordent au festival. Dans les discussions qu'exige la préparation au festival, il apparaît clairement que les enseignants qui guident les élèves dans le choix de participer ou non au festival agissent de leur propre chef, puisqu'ils ne sont pas tenus eux-mêmes d'y assister. Aucune obligation ne les contraint en ce sens. Les enseignants s'engagent de leur plein gré, tout en sachant que cela exige de leur part la réalisation de tâches qui excèdent leur enseignement, car l'organisation du voyage, l'obtention de la permission des parents, la supervision des élèves au cours du festival et la préparation du spectacle relèvent de leur expertise et demandent plusieurs heures de travail. Au fil des rencontres que nécessite ce temps de préparation, les parents prennent conscience du dévouement des enseignants.

Qu'il s'agisse de présenter un spectacle ou de suivre des ateliers, l'expérience de la préparation au festival s'inscrit donc dans « une situation chargée de suspense qui progresse vers son propre achèvement par le biais d'une série d'incidents variés et reliés entre eux » (Dewey, 2005 : 93). Ces incidents font partie du cheminement des élèves qui suivent les cours de théâtre offerts à l'école et s'ajoutent à l'attente de ce qui se passera au festival. Ces incidents font également partie du processus de création de la pièce à présenter et des répétitions qui mettent en scène les élèves dans un devenir « d'être ensemble » dans un contexte provincial. L'enseignant et les élèves qui se préparent pour le festival forment alors une communauté distincte à l'intérieur de la communauté scolaire. Ils ont une visée commune et la possibilité de se rencontrer au cours de cette étape dont ils ne connaissent pas *a priori* le dénouement, car ils ne peuvent savoir d'emblée ce qu'il adviendra lors du festival, quelles expériences ils y vivront et quel sera l'accueil réservé à leur spectacle. Cette situation fait appel à la capacité de chacun de résoudre les différents conflits qui peuvent survenir en cours de préparation. Par exemple, il arrive que le retard d'un élève à des cours ou d'un membre de la troupe lors d'une répétition provoque la colère de ses pairs, comme la justesse d'interprétation d'une scène peut entraîner l'expression d'une satisfaction générale. Des incidents comme ceux-là tissent des liens et font appel à l'émotion. C'est ainsi que se produisent en parallèle, dans diverses écoles, des incidents de parcours lors de la préparation qui suscitent des rencontres entre élèves, enseignants et parents ainsi qu'avec des membres du personnel administratif des écoles. Plus la date du festival approche, plus une certaine fébrilité se fait sentir. « L'émotion primaire de la part du postulant peut être au départ de l'espoir ou bien du désespoir et, à la fin, de l'allégresse ou bien de la déception. Ces émotions donnent une unité à l'expérience » (Dewey, 2005 : 93). Cette unité de sens se poursuit lors du voyage et de la tenue du festival.

Être ensemble lors du festival

Participer au Festival Théâtre Action en milieu scolaire, c'est accepter d'être en relation avec l'autre, puisque le festival est un lieu qui réunit un ensemble de personnes et que le théâtre est en soi un art collectif. Le décloisonnement du lieu offre des possibilités d'exprimer différemment la relation qui se tisse entre l'élève et l'enseignant :

> Ce qui m'a le plus marquée de mon expérience du festival, c'est l'atmosphère qui y régnait. Tout en conservant sa posture d'autorité, l'enseignant, soudain, participe au festival au même titre que l'élève. Il est invité au souper partage en tant qu'enseignant-participant et non à titre d'enseignant-surveillant ; il suit lui aussi un atelier, il socialise lui aussi avec de nouveaux collègues ; il donne l'exemple et encourage les élèves à s'investir et à profiter de chaque expérience. Soudain, la relation enseignant-élève se solidifie et se pose sur la notion du partage plutôt que sur celle de la gestion de classe. Cela dit, la discipline doit être présente si l'enseignant veut être à l'aise dans un tel festival. J'ai toutefois remarqué qu'en terrain inconnu, la plupart des élèves ont tendance à être davantage respectueux et attentifs à l'autorité. Le fait de représenter une école dans un tel festival fortifie le sentiment d'appartenance à son école : les festivaliers la représentent et en sont fiers. Chacun y est de son gré et de sa

propre motivation, chacun a dû débourser des frais afin de s'y présenter, chacun a intérêt à profiter au maximum de son expérience! (Marie-Eve Skelling Desmeules)

Dans ce lieu de rencontre pluriel, l'enseignant veille au bien-être de l'élève, tout en faisant appel à son autonomie. Il fait face, par moments, à des dilemmes de taille :

> Soit la présence et le comportement du postulant s'harmonisent avec ses propres désirs et attitudes, soit ils entrent en conflit et l'ensemble jure. De tels facteurs, par essence de nature esthétique, constituent les forces qui conduisent les divers éléments de l'entretien jusqu'à une issue décisive. Ils interviennent dans la résolution de toute situation où prévalent incertitude et attente, quelle que soit la nature dominante de cette situation (Dewey, 2005 : 93).

La rencontre entre élèves et enseignants d'une même école prend forme dans cette expérience d'altérité, où les attentes se situent dans un contexte festivalier particulier, empreint de signification parce que le geste posé et les comportements adoptés sont exposés et regardés. Ils sont vécus en public et suscitent à la fois une distance et un resserrement des liens.

Par ricochet, la rencontre entre élèves d'une même école se teinte de complicité dans la mesure où ils se trouvent dans une situation vécue comme un « être ensemble » ailleurs. Par exemple, les élèves partagent leurs diverses expériences de rencontre avec d'autres élèves, d'autres enseignants, des artistes, des organisateurs, des bénévoles. Ils se retrouvent en tant que troupe scolaire avant, pendant et après chaque activité du festival. À certains moments, ils ont l'occasion de célébrer, comme lors du souper partage, de la soirée dansante, des repas. Au cours de ce bref séjour de trois jours, ils apprécient la présence de pairs venus des quatre coins de la province, tout en reconnaissant les bénéfices de pouvoir se retrouver ensemble, en tant qu'élèves d'une même école.

> Le moment du dîner de la deuxième journée m'apparaît très important à raconter... Nous nous sommes donné rendez-vous à la cafétéria de l'université afin de nous rassembler pour l'heure du repas. Je m'y rends donc la première afin de réserver un espace assez grand, capable de nous accueillir. Je commence à rassembler des tables afin de faire une immense table rectangulaire pour plus de 40 élèves. Durant mon travail d'aménagement, je me rends compte que les élèves des autres écoles semblent éparpillés à travers la cafétéria. Je me demande donc s'il est réaliste de vouloir rassembler à la même table l'ensemble des élèves de notre école. Je me dis alors que les objectifs de ce point de rendez-vous sont sans doute de prendre les présences, de s'assurer que chacun passe une belle journée, de vérifier que les ateliers se déroulent bien et non pas de les obliger

à manger « collés »… Le premier élève arrive et s'assoit à la grande table sans hésitation. Trois autres le suivent. Et ensuite, deux autres petits groupes font de même. Les élèves, en rentrant dans la cafétéria, semblent chercher des yeux ce lieu de rassemblement et ont l'air si fiers d'occuper, à eux seuls, la plus grande table de la cafétéria ! Personne ne me demande la permission d'aller rejoindre d'autres amis qu'ils se sont faits et qui dînent un peu plus loin. Chacun est excité de venir raconter le contenu de l'atelier qu'il vient de suivre. Les élèves semblent retrouver à cette table un certain confort. Ils sont toujours « ailleurs », dans un nouveau lieu, mais encore plus unis qu'à leur propre école. Puisqu'ils n'arrivent pas tous en même temps, certains élèves mangent et discutent avec des personnes ne faisant pas partie de leur cercle habituel d'amis. Les sujets de discussion ne manquent pas ! Quel plaisir de vivre cette expérience où les élèves semblent naturellement rentrer au bercail (Marie-Eve Skelling Desmeules).

Ressentir ce bien-être d'être ensemble entre élèves d'une même école dans un ailleurs délimité implique des amitiés antérieures ainsi que la possibilité de se connaître et de se reconnaître parmi 300 jeunes rassemblés au festival. Affirmer collectivement une présence à un tel événement permet de s'approprier un lieu de rencontre comme celui d'une cafétéria universitaire, tout en concevant que cette expérience est rendue possible grâce à une passion commune pour l'art théâtral.

Le fait que le festival se tienne dans une école secondaire et deux institutions postsecondaires permet aux adolescents d'être non seulement en contact avec des élèves de leur école, mais aussi avec ceux qui poursuivent des études à l'Université d'Ottawa ou à l'Université Laurentienne. Les élèves du secondaire se retrouvent ainsi dans un établissement qu'ils pourraient fréquenter plus tard, tandis que des étudiants universitaires reprennent contact avec leurs anciens enseignants de théâtre du secondaire, comme dans le cas suivant :

Vers la fin du dîner, mon enseignant associé croise un de ses anciens élèves, devenu étudiant à l'Université d'Ottawa. À vrai dire, c'est ce dernier qui l'aperçoit et qui accourt, le sourire jusqu'aux oreilles… Un petit moment magique. De belles retrouvailles qui se terminent rapidement, puisqu'il est déjà temps de diriger les élèves vers leur deuxième atelier et de se rendre à la seconde partie du nôtre (Marie-Eve Skelling Desmeules).

Tous les participants du festival se côtoient dans un esprit de convivialité, ce qui favorise des échanges formels et informels sur un sujet d'intérêt commun : le théâtre. C'est ainsi que cet événement ouvert aux possibles rend tangible la rencontre avec l'art, entre autres, lors d'ateliers et de spectacles.

L'expérience de la rencontre de l'art au sein du festival

Au cours du Festival Théâtre Action en milieu scolaire, où convergent des passionnés de théâtre, se tiennent les cérémonies d'ouverture et de clôture, dix-neuf ateliers de formation, onze productions scolaires, deux spectacles offerts par les étudiants universitaires et une mise en lecture préparée par des professionnels. Pendant trois jours, le festival est un feu roulant où tout se passe avec une intensité qui surprend parfois, car tout en étant structuré, le festival fait place à l'inattendu. Il interpelle chacun des participants dans sa rencontre avec l'art afin que sa pensée ne reste pas cristallisée, mais s'ouvre à la nouveauté, car comme le souligne Edgar Morin :

> Et une fois l'inattendu survenu, il faudrait être capable de réviser nos théories et idées, plutôt que de faire entrer au forceps le fait nouveau dans la théorie incapable de vraiment l'accueillir (1999 : 12).

Au cours de l'événement, le regard sur soi et sur l'autre s'aiguise au contact de professionnels de la scène théâtrale à la faveur d'ateliers de formation et de spectacles. L'inattendu y est présent comme un personnage qui amène le participant à s'ouvrir à ce qui est inconnu et à en explorer l'implicite. Dans l'espace artistique et culturel de l'Ontario français, le Festival Théâtre Action en milieu scolaire constitue donc un lieu de rencontre unique entre élèves et artistes. Pour en cerner la singularité, nous abordons tout d'abord, dans cette partie, la signification de l'expérience de la rencontre de l'art lors des ateliers de formation théâtrale, puis des spectacles.

La rencontre de l'art lors des ateliers de formation théâtrale

Dans cette quête d'apprentissage que veulent susciter les enseignants dans les classes de théâtre du secondaire, il n'est pas toujours évident de générer une motivation chez les élèves. Le quotidien exerce une emprise très forte sur les possibilités de créer en milieu scolaire et le son de la cloche se fait trop souvent entendre quand l'émergence d'une idée ou d'une rencontre est susceptible de se concrétiser (Théberge, 2009a). Le lieu où se tient le festival et le climat d'apprentissage, qui diffèrent de ceux que l'on retrouve à l'école, offrent des occasions de rencontre, et ce, même lors du premier déplacement vers un atelier :

> En me dirigeant vers mon atelier, je croise deux ou trois petits groupes de mes élèves, joyeux, en forme, excités, confiants, mais relativement perdus au milieu

des pavillons de l'université! La tête plongée dans leur grande carte, leurs regards se dirigent tout de suite sur moi et leurs mains se font aller. Au lieu de sembler stressés à l'idée de se promener sur le campus, les élèves semblent tout à fait amusés! Ils peuvent se permettre d'avoir l'air perdu ou de chercher leur chemin : des centaines d'élèves sont dans la même situation qu'eux! Affichant les bandeaux, bracelets et gourdes promotionnels qui leur ont été donnés la veille lors de leur inscription, les participants du festival n'ont aucune difficulté à se reconnaître à l'intérieur des frontières de ce nouveau lieu! Je les aide donc à s'orienter sur le campus et je poursuis mon chemin en saluant joyeusement bon nombre d'autres participants. Nous ne nous connaissons absolument pas, mais nous savons déjà partager beaucoup, soit la raison de notre présence au festival… (Marie-Eve Skelling Desmeules).

Rencontrer un artiste formateur qui part d'une de ses spécialités sans avoir à tenir compte d'un programme d'études déterminé et interagir avec différents élèves dans un nouvel environnement brisent la routine. Ne sachant pas, au départ, en quoi consisteront les apprentissages qu'ils vont réaliser dans leurs ateliers, les élèves ne peuvent se faire une idée préconçue et, donc, ils restent ouverts à ce qui se présente à eux. Cette ouverture d'esprit, cette curiosité, combinées à une certaine appréhension de l'inconnu, favorisent de nombreux apprentissages sur soi, sur l'autre et sur la connaissance du théâtre.

Chaque élève a la possibilité de suivre deux ateliers de trois heures au cours du festival et d'être ainsi en contact avec au moins deux artistes animateurs. Ces derniers agissent comme des figures de proue. En tant que professionnels, ils rendent tangible la filiation qui existe entre la formation reçue en contexte scolaire, celle offerte dans les institutions universitaires et dans les écoles spécialisées en arts et, enfin, le parcours artistique en théâtre au sein des compagnies qui ont pignon sur rue en Ontario français. Le savoir véhiculé au festival ne tient donc pas uniquement au contenu particulier de chaque atelier, mais porte aussi sur la carrière artistique. Être en présence d'artistes, recevoir de leur part une formation et discuter avec eux confèrent un espace d'expression qui sort de l'ordinaire. Pour certains élèves, cela alimente le rêve de devenir eux-mêmes artistes, tandis que pour d'autres, cela confirme un autre choix de carrière, même s'ils vivent des expériences inoubliables au festival.

Quant aux enseignants et aux animateurs culturels, ils optent pour l'un des deux ateliers de cinq heures qui leur sont destinés. Réunis au sein de deux sous-groupes, ils apprivoisent des contenus tout en apprenant à mieux se connaître. Même s'ils font partie d'une même confrérie, cela ne signifie pas pour autant qu'ils ont des échanges fréquents entre eux. C'est pourquoi ce temps de formation est important pour approfondir les contenus enseignés en classe et pour faciliter les contacts entre écoles. Ce regroupement d'enseignants permet également de prendre conscience de leurs besoins, car leurs formations sont loin d'être similaires, et l'enseignement du théâtre est devenu de plus en plus développé en raison de la révision du programme d'études (ministère de l'Éducation de l'Ontario, 2009, 2010a, 2010b). Les ateliers du festival informent, par le fait même, les enseignants sur les contenus d'apprentissage relatifs à ces changements, entre autres, la mise en scène ou la production artistique en contexte scolaire.

La rencontre de l'art lors des spectacles

Comme la formation qui est offerte lors des ateliers, l'expérience esthétique fait partie de la programmation du festival. Ainsi, dans l'édition de 2010, le festival s'amorce par une cérémonie d'ouverture où est présenté un spectacle mettant en scène une artiste – qui agit en tant que marraine du festival – et un groupe d'élèves. Dès le début du festival, la rencontre de l'art s'effectue donc sous forme de manifestation artistique, qui met en contact élèves et artistes. Par la suite, chaque élève a la possibilité d'assister à dix spectacles, dont six des onze productions scolaires présentées, car le fait de voir des spectacles et d'en discuter contribue à prendre contact avec l'art. C'est pourquoi le festival propose un ensemble de spectacles dès la première journée, soit les deux productions préparées par des étudiants universitaires, la mise en lecture professionnelle et trois des onze productions scolaires. Ces manifestations artistiques sont vues par l'ensemble des festivaliers et constituent des référents communs. En très peu de temps, c'est-à-dire en l'espace d'un après-midi et d'une soirée, le festival sert de lieu de présentation de spectacles produits dans des contextes institutionnels différents : écoles secondaires, départements universitaires et théâtre professionnel. Ces spectacles sont vus en synchronie par des élèves et des enseignants, des étudiants et des professeurs, des artistes et des bénévoles de la communauté. Cette expérience commune alimente le dialogue entre festivaliers.

C'est ainsi qu'en assistant aux différents spectacles offerts, les élèves sont amenés à se forger rapidement un sens d'observation, un esprit critique. Peu à peu, ils arrivent à cerner les pièces qu'ils ont préférées ainsi qu'à en expliquer les raisons. Ils repèrent dans ce qui est présenté les apprentissages qu'ils font dans le cadre de leurs cours de théâtre à l'école. Par exemple, si ce n'est pas déjà fait, ils comprennent rapidement l'importance de la projection, de l'articulation, des nuances dans le jeu dramatique, de la précision dans les choix artistiques réalisés, de l'authenticité de l'interprétation d'un personnage et de la concentration scénique. En reconnaissant et en verbalisant divers éléments d'une représentation théâtrale qu'ils apprécient ou n'apprécient pas, ils sont davantage en mesure d'en faire le transfert dans leur propre travail artistique. Qui plus est, il devient alors plus facile pour les enseignants de théâtre de s'appuyer sur des référents communs quand vient le temps d'expliquer le contenu d'un apprentissage.

Par ailleurs, le festival revêt aussi sa part d'inattendu, entre autres, lors de la présentation de spectacles, où il arrive que les réactions des spectateurs réservent des surprises aux élèves. Alors qu'en contexte scolaire ces derniers sont habitués à présenter leur spectacle devant des parents et des amis soucieux de les encourager et à l'affût de leurs prestations, le public du festival est composé non seulement de pairs d'autres écoles, mais aussi d'étudiants, d'artistes et de bénévoles qui n'ont pas en tête leurs parcours d'apprentissage et le progrès accompli depuis leurs débuts. En présentant leur spectacle au festival, les élèves ont donc un contact direct avec un public élargi qui aime le théâtre et, dans certains cas, qui en a une connaissance approfondie. Même si ce public est habituellement respectueux, compréhensif et participatif, il arrive que certains spectateurs réagissent de manière déstabilisante, par exemple, en riant lors d'une scène tragique ou en s'abstenant de rire lors d'un effet comique. Certains spectacles sont mieux reçus que d'autres. C'est pourquoi les enseignants tendent à encadrer judicieusement les élèves et font en sorte que jouer devant un public moins réceptif puisse être une expérience d'apprentissage enrichissante. Informer les élèves sur la nécessité de faire preuve de concentration sur scène et de s'adapter rapidement à des réactions imprévues concourt à leur faire comprendre le rôle que joue le spectateur dans la relation avec l'acteur. La rencontre de l'art exige un sens de l'accueil et il ne faut surtout pas tenir pour acquis que cet accueil existe en soi chez tous les spectateurs. Il importe de prendre conscience de la vulnérabilité des personnes qui se trouvent sur scène afin de saisir le sens de leur travail, qui s'effectue dans l'immédiat, devant soi. Qui dit rencontre ne dit pas nécessairement que tout se déroule sans anicroche. La rencontre de différences contribue à une réflexion autant sur soi que sur l'autre. À cet effet, le festival est un lieu d'expression de ces différences, car il ne tend pas à niveler les contenus présentés, mais offre une vitrine qui donne un bon aperçu de ce qui se crée dans les écoles secondaires de langue française en Ontario, où la pensée artistique est représentée de diverses manières.

De plus, chaque production scolaire présentée fait l'objet d'une rétroaction d'environ une heure de la part d'un professionnel de théâtre embauché par Théâtre Action pour commenter le spectacle. Ces commentaires sont une autre occasion de rencontre, puisqu'ils sont formulés de manière à amener les élèves à porter un regard critique sur leur propre travail artistique. Le choix de l'artiste qui joue ce rôle de commentateur s'effectue également avec soin, car Théâtre Action consulte chaque troupe pour savoir sur quel aspect particulier elle aimerait recevoir des avis professionnels. Ainsi, la création d'une comédie musicale reçoit le concours d'un comédien qui est également musicien. De plus, chaque professionnel remet à la troupe une grille d'évaluation détaillée qui peut être discutée par l'enseignant et les élèves une fois le festival terminé. Cette manière de procéder accentue la capacité de recevoir des commentaires sans se sentir menacé et d'accepter que tout ne soit pas éloge lorsque l'on présente un spectacle. Cet apprentissage fait partie de l'expérience artistique où il est nécessaire de vivre des remises en question pour évoluer. Cela aide les élèves ainsi que les enseignants à construire leur propre vision de l'art, car pour bon nombre de festivaliers, il devient rapidement évident, au contact de professionnels, que la pratique artistique nécessite une volonté de persévérer dans les moments d'anxiété.

La mise en lecture professionnelle et les spectacles présentés par les étudiants universitaires ne sont pas non plus exempts de commentaires. Par exemple, pour certains élèves nouveaux au festival, c'est la première fois qu'ils assistent à la mise en lecture d'une pièce où les didascalies sont lues par un narrateur et où les comédiens sont assis sur des tabourets en tenant dans leurs mains le texte de la pièce présentée. Ce mode de fonctionnement amène des élèves à se questionner sur la manière de réagir, car lorsqu'ils vont au théâtre, ce n'est pas ce qu'ils sont habitués de voir.

Le choix des productions des étudiants universitaires ne plaît pas non plus d'emblée à tous ceux qui participent au festival. Par exemple,

L'histoire de l'oie de Michel Marc Bouchard, présentée par les étudiants de l'Université d'Ottawa, offre une expérience esthétique qui sort de l'ordinaire par le traitement qu'elle fait du thème de l'inceste. Imagée, poétique et symbolique, elle ne retient pas d'emblée l'attention constante de tous les spectateurs présents. Dans le même ordre d'idées, l'adaptation tragicomique d'*Hamlet*, réalisée en 2010 par les étudiants de l'Université Laurentienne, emprunte davantage au burlesque, voire à la pantomime qu'au drame. C'est un style qui fait rire certains spectateurs, tout en suscitant chez d'autres l'étonnement devant l'exagération exprimée. Il va sans dire qu'une si grande diversité de styles confronte les visions et incite à la réflexion sur l'art, sur les formes qu'il emprunte ainsi que sur les propos qu'il tient, ce qui se révèle très formateur pour des élèves qui sont en quête de leurs goûts, de leurs intérêts et de leurs préférences.

> À la fin de cette troisième représentation, je commence déjà à remarquer que les élèves sont davantage en mesure de m'expliquer pourquoi ils apprécient ou non un spectacle. Ils me parlent de son contenu, de sa forme, du jeu des acteurs (Marie-Eve Skelling Desmeules).

La rencontre de l'art ne peut s'effectuer constamment en harmonie, et le festival est un lieu où la controverse s'exprime sans nécessairement se résoudre.

Il importe également de préciser que le Festival Théâtre Action en milieu scolaire est l'occasion de voir émerger des textes inédits, écrits par des élèves du secondaire, ainsi que des créations collectives inspirées du dynamisme des troupes scolaires. C'est ainsi que l'édition de 2010 comprenait onze productions scolaires, dont cinq créations collectives, trois textes de trois élèves et trois pièces de répertoire. Lors de la cérémonie de clôture, chacune de ces productions s'est vu octroyer un trophée soulignant la principale qualité artistique de la présentation. Ces mentions touchaient, par exemple, le meilleur jeu dramatique, l'originalité du texte, l'originalité de la démarche, la qualité d'interprétation (Théâtre Action, 2010 : 25-28).

De plus, deux dramaturges et une enseignante composent un comité de lecture qui attribue le prix Hélène-Gravel, « décerné chaque année à une troupe qui présente une création dans le cadre du Festival Théâtre Action en milieu scolaire » (Théâtre Action, 2010 : 9). Lors des deux dernières éditions du festival, soit en 2009 et en 2010, c'est le même texte qui a mérité le prix Hélène-Gravel et le prix Josée-Létourneau, remis dans le cadre d'un concours d'écriture au texte le plus prometteur écrit par un adolescent et octroyé en partenariat par le Théâtre la Catapulte, le Théâtre du Nouvel-Ontario, le Théâtre français de Toronto et l'Ambassade de France. Cette double reconnaissance témoigne de la cohésion entre les institutions théâtrales et le milieu de l'éducation. Elle consolide également le partenariat entre Théâtre Action et des compagnies de théâtre, puisque le texte primé est mis en lecture et présenté au festival l'année suivante. Cela signifie que l'élève qui reçoit ces deux prix compte sur l'appui d'un conseiller dramaturgique pour retravailler son texte afin que cette version soit interprétée à nouveau au festival sous forme de lecture publique par des comédiens professionnels. Les élèves qui participent à ces deux festivals consécutifs assistent donc, la première année, à la présentation offerte par une troupe scolaire et, la deuxième année, à une lecture publique organisée par des théâtres professionnels de la version retravaillée de cette pièce. C'est ainsi que cet événement s'inscrit dans un réseau de contacts tissés entre gens des milieux éducationnel et artistique, ce qui contribue non seulement à la rencontre de l'art, mais aussi à celle de la francophonie ontarienne.

La rencontre de la francophonie ontarienne

Le festival met en présence des institutions essentielles à la vie scolaire et artistique de l'Ontario français : le milieu de l'éducation et celui des arts. Sans la contribution des écoles et la participation de l'Université Laurentienne et de l'Université d'Ottawa, qui offrent des programmes postsecondaires en français en théâtre, rien ne serait pareil. Au centre, comme pivot, l'organisme de développement qu'est Théâtre Action établit un partenariat avec les milieux scolaire, universitaire et artistique. Il est bien placé pour accomplir cette mission, puisque son mandat vise à donner un appui à des professionnels de théâtre ainsi qu'à des troupes scolaires et communautaires. Cet organisme incite les milieux éducationnel et artistique à se concerter, tout en concourant à la reconnaissance de la production théâtrale.

Le festival comme lieu de mise en présence des milieux éducationnel et artistique

La mise en œuvre du festival associe deux milieux distincts et complémentaires, qui n'ont pas toujours les mêmes visées artistiques. Par exemple, le milieu du théâtre professionnel se doit d'être à l'affût de toutes les nouveautés pour être en mesure de se faire valoir sur les scènes locale, régionale, nationale et internationale (Théberge, 2009b). Il se nourrit de pratiques théâtrales et, en retour, permet à celles-ci d'évoluer. Comme ce milieu s'inscrit dans la nouveauté, les directeurs artistiques, les dramaturges, les metteurs en scène, les comédiens et les personnes responsables des communications des compagnies de théâtre doivent s'interroger sur la pertinence des contenus destinés aux adolescents (Thibault, 2010). Il existe une tension tangible entre les milieux éducationnel et artistique au sujet des valeurs contenues dans les pièces proposées au milieu scolaire, et ce, non seulement en Ontario français, mais également dans d'autres contextes sociaux canadiens. Tout en proposant une rencontre entre les milieux de l'éducation et du théâtre, le festival incite à une réflexion et à un dialogue portant sur la rencontre de soi et de l'autre. La mise en présence des milieux éducationnel et artistique au festival peut donc ainsi participer à l'évolution de la culture, conçue comme l'« ensemble des connaissances symboliques communes à une société donnée ou partagées par l'ensemble de l'humanité » (Csikszentmihalyi, 2006 : 31).

Force est cependant de reconnaître que le milieu de l'éducation est régi par des instances décisionnelles politisées, pour ne pas dire fortement marquées par une approche de rectitude sociale. Cela ne tient pas uniquement au contenu des spectacles qui sont présentés par des artistes à l'école, mais aussi à ce qui est enseigné et appris par les élèves. Dès lors, la rencontre de l'art à l'école se réalise sous l'égide de ce qui est permis, et la créativité s'exerce selon une expression artistique autorisée. Par exemple, un artiste ou un étudiant universitaire inscrit à un programme de théâtre ne se demande pas si interpréter un personnage faisant un usage répété de sacres est de l'ordre de ce qui est autorisé, acceptable. Cependant, que ce soit dans les cours de français ou dans ceux de théâtre, il arrive que des enseignants d'écoles secondaires se posent cette question. Ils sont garants d'une éducation souvent idéalisée de la part des parents et de la communauté. Ils sont redevables et tenus de montrer que leur enseignement est profitable pour les développements social, cognitif, affectif et culturel de l'élève. Leur travail est scruté et ils sont vulnérables aux récriminations. Leur rôle nécessite un engagement (Théberge, 2007). Ils savent qu'ils ne peuvent rien tenir pour acquis puisqu'en Ontario, un seul cours d'art est obligatoire pour obtenir le diplôme d'études secondaires, ce qui a des incidences sur le nombre d'inscriptions dans les cours d'art dramatique. Leur situation est précaire et ils tentent d'éviter que l'expression artistique accentue cette précarité. En conséquence, les enseignants placent la créativité de l'élève dans une zone où l'interdit côtoie de manière très étroite l'autorisation. Ils jaugent donc constamment les balises des contenus d'apprentissage de manière à favoriser son évolution sans pouvoir toutefois en accélérer le processus.

Au festival, pour aller à l'encontre de cet interdit, une prise de parole est proposée aux élèves, entre autres, lors de la Table Jeunesse où il s'agit de former les jeunes à la participation par la participation. Mise sur pied il y a quatre ans, cette table est une initiative novatrice qui vise avant tout à rassembler, à former et à mobiliser les élèves des écoles secondaires francophones de l'Ontario en vue d'un objectif commun : « le rayonnement et le développement de la culture théâtrale francophone » (Théâtre Action, 2010 : 12). En 2010, cette table avait pour thème le partage des ressources entre « les conseils scolaires public et catholique et l'importance, selon les jeunes, de créer des ponts entre ceux-ci ». Elle a permis à 24 jeunes de 12 écoles d'échanger leurs points de vue à ce sujet pendant deux heures. S'il en ressort que les élèves favorisent les échanges concertés entre écoles de conseils scolaires différents, il n'en reste pas moins qu'il est difficile pour les adolescents de susciter des changements de la part des autorités en place. Le milieu de l'éducation de l'Ontario est régi traditionnellement selon une structure reconnaissant le statut confessionnel de conseils scolaires public ou catholique. Dans une même ville et une même région, les écoles de langue française se retrouvent donc en compétition les unes vis-à-vis des autres pour le maintien du nombre d'élèves compte tenu du fait que le bassin de la population francophone est limité. Le lieu d'échanges de la Table Jeunesse contribue à la sensibilisation et à la prise de conscience du contexte social dans lequel est offerte la formation théâtrale. L'interdit est formulé, écouté par les participants. De là à ce qu'il soit entendu et ait des répercussions à court terme sur le système scolaire, c'est une autre histoire ou une histoire dont la suite sera assumée en partie par ceux qui prennent la parole au cours des différents festivals. C'est en ce sens que cette table ronde sert à instiller le goût de participer à cette société franco-ontarienne, non parfaite, mais qui a besoin d'une relève pour apporter des changements à moyen et à long terme. La rencontre s'effectue alors par un dialogue où il est question d'art, porteur de symboles « qui donnent un sens à ce qui est pensé et conçu dans la communauté » (Théberge, 2008) et qui alimentent un « imaginaire collectif » (Giust-Desprairies, 2003 : 189). La rencontre permet également d'échanger au sujet des transformations à apporter aux institutions de cette communauté en suscitant la participation des élèves.

Le festival comme lieu de célébration

La mise en présence des milieux éducationnel et artistique crée des rencontres entre artistes, élèves du secondaire, étudiants universitaires, enseignants et organisateurs du festival. Elle permet aussi à des bénévoles – élèves, étudiants universitaires, passionnés de théâtre – de participer à la célébration du théâtre. Que ce soit au cours du souper partage, de la soirée dansante ou lors des cérémonies d'ouverture et de clôture, le festival concourt au rassemblement des festivaliers, et ce, dans un esprit de célébration de l'art et de reconnaissance de ce qui est accompli. La célébration fait partie de l'attendu et de l'inattendu au festival :

> Dans le but de permettre aux troupes de retirer leur décor et d'installer celui du prochain spectacle, on demande à l'ensemble des spectateurs de sortir de la salle. Rapidement, le hall d'entrée est occupé par plus de deux cents personnes : il pleut dehors… La pause s'annonce donc longue, très longue… C'est alors que j'entends quelques notes… Un élève s'est approprié le vieux piano qui longe un mur du hall. D'autres élèves se rassemblent autour de lui pour fredonner quelques paroles, puis un et deux élèves se mettent à improviser des rythmes sur la caisse du piano. Les voix s'unissent, s'amplifient, résonnent de plus belle. On peut bientôt lire sur la majorité des lèvres les paroles de *Let it be*. Du haut de la mezzanine, où se trouvent les salles de bains, j'assiste à ce spectacle qui pourrait rendre jaloux bien des producteurs… C'est sans doute mon plus beau souvenir du festival. Un événement improvisé, inattendu, qui implique plus de la moitié des festivaliers dans une toute petite pièce. Une fois descendue dans le hall, j'entends des voix qui m'appellent : « Madame Skelling! Madame Skelling! Venez signer mon chandail! », « Et le mien! », « Moi aussi! » Nombreux sont ceux qui profitent de ce moment de rassemblement pour recueillir autographes et petits mots, souvenirs de la fête de l'année! (Marie-Eve Skelling Desmeules)

Se retrouver dans un lieu transitoire comme le hall d'une salle de spectacles et formuler un « être ensemble » en chantant *Let it be*, voilà une métaphore vive de la complexité identitaire de la francophonie ontarienne. Une volonté d'être exprime ainsi par ce chant, dans ce lieu, le savoir intrinsèque de cette minorité qui ne peut faire abstraction dans son « être ensemble » de l'omniprésence de la culture anglophone mondialement connue. Comme nous l'avons mentionné précédemment, ce sont ces divers incidents, variés et reliés entre eux, qui donnent une signification particulière à l'expérience du festival (Dewey, 2005 : 93). L'arrivée et le départ sont deux moments importants de cette expérience, des moments de partage et de séparation. Temps de rupture, où les échanges virtuels sur Facebook ou sur d'autres réseaux sociaux permettront de poursuivre l'amorce de relations d'un festival à l'autre. Temps du retour chez soi et de prise de conscience des changements que provoque une telle expérience. Temps de rétroaction pour établir des liens entre l'intensité de moments vécus au festival et le quotidien, en attendant la prochaine rencontre.

Conclusion

Dans cet article, nous avons abordé les possibilités de rencontre pendant l'expérience de préparation au festival, dans un rapport de soi à l'autre. Puis, nous avons reconnu cet événement comme moteur de rassemblement mettant en valeur la rencontre de l'art lors de la formation offerte dans les ateliers par des artistes ou lors de la présentation de spectacles. Nous avons ainsi pu observer que la chimie relationnelle se dynamise lorsque des centaines d'élèves de différentes écoles entrent en scène. Pour ceux qui y assistent plusieurs années d'affilée, c'est le temps des retrouvailles, d'une rencontre renouvelée, d'une accolade prolongée, de la poursuite d'un dialogue. La tenue d'ateliers et de spectacles dans les différents lieux du festival suscite une prise de contact entre élèves, artistes, enseignants, organisateurs et bénévoles. L'inattendu surgit dans cette programmation, laissant place à la participation et à l'interdit, en présence de deux milieux complémentaires de la francophonie ontarienne : le milieu de l'éducation et celui des arts. La célébration de cet « être ensemble », en tant que festivaliers, se concrétise, entre autres, lors du repas partage et de la soirée dansante.

Au lendemain du festival, il est difficile de saisir tout ce que cette expérience implique, tout ce qu'elle inscrit dans la mémoire de centaines d'élèves, d'enseignants, d'artistes, d'organisateurs et de bénévoles. Quelles en sont les incidences sur les choix de cours optionnels en théâtre? Quelle est la force des liens qui s'y tissent entre élèves et parents, élèves et enseignants, élèves et artistes ainsi qu'entre élèves d'écoles différentes? Quel savoir sur l'art et sur la francophonie ontarienne cet événement procure-t-il? Ce sont là des questions que nous ne pouvons approfondir dans les limites de la présente recherche. Elles touchent la connaissance des pratiques théâtrales de la communauté franco-ontarienne, et il reste encore beaucoup d'aspects à examiner à ce sujet. Il nous apparaît cependant que c'est par l'expérience que le festival constitue un lieu de savoir sur cette minorité, sur l'art, sur soi et sur l'autre. Il encourage les rencontres et rend possible la formation d'un « être ensemble » par le théâtre. C'est le théâtre en action par et auprès de ces jeunes qui confère une signification à leurs propres actions théâtrales dans leurs écoles respectives et qui donne lieu à une reconnaissance de ce qu'ils accomplissent dans leurs villes et villages. La célébration du tout et de ses particularités concourt par la suite, dans l'après-festival, à ce que les écoles célèbrent à leur tour le travail artistique de chaque troupe, ne serait-ce qu'en annonçant à l'interphone le trophée gagné. La reconnaissance engendre la reconnaissance ou, du moins, suscite l'intérêt et sort ainsi peu à peu la pratique théâtrale de sa précarité. C'est aussi l'une des visées de Théâtre Action de faire en sorte que la rencontre de l'art et sa célébration débordent du cadre du festival et en arrivent à prendre racine au sein même des écoles de langue française de l'Ontario et de leurs communautés.

BIBLIOGRAPHIE

Csikszentmihalyi, Mihaly (2006). *La créativité, psychologie de la découverte et de l'invention*, Paris, Robert Laffont.

Dewey, John (2005). *L'art comme expérience,* Paris, Gallimard.

Giust-Desprairies, Florence (2003). *L'imaginaire collectif,* Ramonville Saint-Agne, Érès, coll. « Sociologie clinique ».

Ministère de l'Éducation de l'Ontario (2009). *Éducation artistique : le curriculum de l'Ontario de la 1ère à la 8e année,* Toronto, ministère de l'Éducation et de la Formation de l'Ontario, [En ligne], [http://www.edu.gov.on.ca/fre/curriculum/elementary/arts18b09currf.pdf] (11 janvier 2012).

Ministère de l'Éducation de l'Ontario (2010a). *Éducation artistique : le curriculum de l'Ontario de la 9e et 10e année,* Toronto, ministère de l'Éducation et de la Formation de l'Ontario, [En ligne], [http://www.edu.gov.on.ca/fre/curriculum/secondary/arts910curr2010Fr.pdf] (11 janvier 2012).

Ministère de l'Éducation de l'Ontario (2010b). *Éducation artistique : le curriculum de l'Ontario de la 11e et 12e année,* Toronto, ministère de l'Éducation et de la

Formation de l'Ontario, [En ligne], [http://www.edu.gov.on.ca/fre/curriculum/secondary/arts1112curr2010Fr.pdf] (11 janvier 2012).

MORIN, Edgar (1999). *Les sept savoirs nécessaires à l'éducation du futur*, Paris, Organisation des Nations Unies pour l'éducation, la science et la culture, [En ligne], [http://www.agora21.org/unesco/7savoirs/] (21 septembre 2010).

MUCCHIELLI, Alex (dir.) (1996). *Dictionnaire des méthodes qualitatives en sciences humaines et sociales*, Paris, Armand Colin.

PARÉ, François (2001). *Les littératures de l'exiguïté*, Ottawa, Le Nordir.

THÉÂTRE ACTION (2010). *Rapport final du projet et rapport de communication et revue de presse : 13ᵉ Édition Festival Théâtre Action en milieu scolaire, 15 au 17 avril 2010*, Ottawa, Théâtre Action.

THÉBERGE, Mariette (2006). « Le rôle de responsables de troupes dans des productions théâtrales au secondaire », dans Laura McCammon et Debra McLauchlan (dir.), *The Universal Mosaic of Drama and Theatre: The IDEA 2004 Dialogues*, Stafford (Australie), International Drama in Education Association, p. 109-117.

THÉBERGE, Mariette (2007). « On Being or Becoming a Secondary School Drama / theatre Teacher in a Linguistic Minority Context », *Theatre Research in Canada = Recherches théâtrales au Canada*, vol. 28, n° 2, p. 144-155.

THÉBERGE, Mariette (2008). « Des exemples de conditions économiques qui favorisent la production théâtrale dans le contexte de la minorité francophone canadienne », dans *Forum international sur l'économie créative : performance et tendances économiques*, Ottawa, Conference Board du Canada et Patrimoine canadien, p. 95-103.

THÉBERGE, Mariette (2009a). *Les jeunes du XXIᵉ siècle et la création*, conférence prononcée lors de la journée Portes ouvertes sur l'enseignement artistique en Ontario organisée par l'Association francophone de l'éducation artistique de l'Ontario, Ottawa.

THÉBERGE, Mariette (2009b). « L'art suscite l'art », *Entracte : revue de réflexion sur le théâtre franco-ontarien,* édition spéciale : « Les seconds États généraux du théâtre franco-ontarien°», n° 5 (automne), p. 17-22.

THIBAULT, Laurence (2010). *Comprendre l'expérience de création des artistes dans le théâtre pour adolescents en Ontario français*, thèse de doctorat, Ottawa, Université d'Ottawa.

Recensions

Andrée Lévesque, *Éva Circé-Côté : libre-penseuse (1871-1949)*, Montréal, Éditions du remue-ménage, 2010, 478 p.

Dans une lettre à son ami Marcel Dugas, elle appelle ses contemporains ses « dissemblables[1] ». Dans une chronique de 1920, elle affirme que « [l]es insoumis sont les vrais libérateurs » (p. 269). Pareils propos suggèrent bien la liberté de pensée qui caractérisait la journaliste, poète et bibliothécaire montréalaise Éva Circé-Côté, qui fut comparée à Séverine, à George Sand, voire à une « madame de Staël canadienne » (p. 209).

Oubliée par les milieux culturels à sa mort en 1949, Éva Circé-Côté n'a guère raflé d'honneurs posthumes. On chercherait en vain les rééditions de ses œuvres. Elle n'est guère mentionnée dans l'*Histoire de la littérature québécoise* de Michel Biron, François Dumont et Élisabeth Nardout-Lafarge en 2007, bien que les pages évoquant les chroniques féminines entre 1895 et 1930 citent Robertine Barry, Anne-Marie Gleason-Huguenin et Henriette Dessaulles[2]. Hormis une maîtrise en bibliothéconomie en 1952[3], une des rares initiatives de perpétuation de son souvenir est due à son arrière-petite-nièce, Danaé Michaud-

---

[1]   Andrée Lévesque, *Éva Circé-Côté : libre-penseuse (1871-1949)*, Montréal, Éditions du remue-ménage, 2010, p. 181 (désormais, la page sera indiquée après les citations tirées de cet ouvrage).

[2]   Michel Biron, François Dumont et Élisabeth Nardout-Lafarge, *Histoire de la littérature québécoise*, Montréal, Éditions du Boréal, 2007, p. 156-157.

[3]   Raymonde Hébert, *Notes biobibliographiques sur Éva Circé-Côté*, thèse de maîtrise, Montréal, École de bibliothéconomie de l'Université de Montréal, 1952.

Mastoras, dont le mémoire de maîtrise étudiait sa pièce *Maisonneuve*[4]. Le livre d'Andrée Lévesque arrive donc à point nommé.

À la décharge des milieux culturels québécois, on peut invoquer deux circonstances atténuantes pour expliquer l'oubli dont souffre la chroniqueuse du *Monde ouvrier* et du *Pays*. D'une part, l'Histoire (notamment l'histoire littéraire) est à réécrire, car le rôle des femmes y est encore insuffisamment élucidé.

D'autre part, il faut savoir qu'Éva Circé-Côté est en bonne partie responsable de l'anonymat pesant sur elle. Elle a usé d'une panoplie de pseudonymes qui compliquent le repérage de ses écrits. Certains sont de fantaisistes prénoms ou surnoms féminins (Colombine, Musette), ainsi que le voulait un usage répandu auprès des femmes journalistes. Robertine Barry signait « Françoise » et Anne-Marie Gleason-Huguenin, « Madeleine ». D'autres pseudonymes surprennent par leur ambiguïté : Fantasio, Loup de velours… D'autres encore renvoient à une identité masculine fictive : Jean Nay (ou Ney), Paul S. Bédard, Arthur Maheu et même Julien Saint-Michel (nom du grand-père d'Éva). Ce recours à des pseudonymes, qui aurait étonné jusqu'à Romain Gary, ne provient pas du désir de dérouter les lecteurs. Andrée Lévesque explique que cet anonymat était le prix que les femmes devaient payer pour préserver leur indépendance intellectuelle entre 1900 et 1940. Proche des milieux francs-maçons et protestants, partisane d'une justice sociale qui se défiait des convenances et du qu'en-dira-t-on, Éva Circé-Côté n'était pas suicidaire. Elle savait qu'un certain jeu de masque était requis pour lui permettre de conserver sa tribune. C'était avant l'ère des Judith Jasmin et Louky Bersianik.

Pourtant, forte d'un héritage laïque et libéral qui lui venait à la fois des Lumières et des patriotes de 1837-1838 (surtout Papineau, qu'elle révérait), Éva Circé-Côté ne mâchait pas ses mots pour dénoncer l'omniprésence du clergé catholique. La chroniqueuse regrettait qu'on soit resté, au Québec, « comme au temps de la féodalité du Moyen-Âge

---

[4]   Danaé Michaud-Mastoras, *Étude sociocritique de la pièce* Maisonneuve *d'Éva Circé-Côté*, mémoire de maîtrise, Montréal, Université de Montréal, 2006. Il y a tout de même lieu de mentionner l'anthologie éditée par Micheline Dumont et Louise Dupin, *La pensée féministe au Québec (1900-1985)* (Montréal, Éditions du remue-ménage, 2003), qui reprend quelques textes d'Éva Circé-Côté en matière de droits des femmes.

[*sic*], [où] nos évêques, nos chanoines, nos archiprêtres, nos abbés ont encore droit de cuissage et de jambage dans les questions politiques » (p. 250).

Pour retracer le parcours de la libre-penseuse, Andrée Lévesque aurait pu se contenter de rapporter les aléas de son destin privé. L'entreprise aurait certes été difficile, compte tenu de l'absence de documents personnels, de journal intime, de correspondance, de mémoires ou d'autobiographie (p. 459), mais largement justifiée. Il n'est pas rare qu'une biographie vienne fournir l'élan qui manquait pour inciter à la redécouverte de grands auteurs oubliés. C'est du moins dans cet esprit que Jean-Paul Socard s'est penché récemment sur l'énigmatique Madame Georges de Peyrebrune[5].

Andrée Lévesque nous offre cependant mieux qu'une biographie. Au lieu de simplement tracer le portrait d'une intellectuelle, elle s'en inspire pour élucider une page d'histoire. La vie et l'œuvre d'Éva Circé-Côté servent ainsi à évoquer le Québec progressiste des années 1900-1940. Venant d'une universitaire qui s'est aussi intéressée aux parcours de Jeanne Corbin et de Madeleine Parent, le tout est prodigieusement instructif.

L'ouvrage comporte deux parties. La première (les chapitres I à V) propose un survol de la vie et de l'œuvre de Circé-Côté. La seconde explique ses idées en matière de libéralisme (le chapitre VI), de religion (le chapitre VII), de patriotisme et d'identité nationale (le chapitre VIII), de réformes sociales et de condition féminine (les chapitres IX et X).

Non seulement Andrée Lévesque replace-t-elle le propos et les partis pris de la journaliste-bibliothécaire dans le contexte idéologique du temps, mais elle examine avec soin les traits d'écriture et les effets de style qui se dégagent de sa plume (ironie, indignation, provocation, etc.). Nous avançons ainsi à la croisée de l'historique et du littéraire.

Cette division en deux parties, si elle semble très satisfaisante sur le plan du contenu, entraîne cependant un effet pervers : à partir de la deuxième partie (p. 213-371), on a l'impression de lire un autre livre.

---

5   Jean-Paul Socard, *Georges de Peyrebrune (1841-1917) : itinéraire d'une femme de lettres, du Périgord à Paris*, Périgueux, Arka, 2011.

Certains y verront un avantage, d'autres une maladresse. Peu importe. L'ouvrage d'Andrée Lévesque fait mouche. Il tire de l'ombre une grande méconnue de la modernité québécoise et s'impose, à ce jour, comme *la* référence à consulter à son sujet.

Patrick Bergeron
Université du Nouveau-Brunswick

Serge Bouchard et Marie-Christine Lévesque, *Elles ont fait l'Amérique,* **t. 1 :** *De remarquables oubliés* **[sic], Montréal, Lux éditeur, 2011, 448 p.**

De remarquables oubliés ont créé l'Amérique du Nord, telle est l'hypothèse de travail de l'émission radiophonique du même nom que la Première Chaîne de Radio-Canada produit et diffuse depuis plusieurs années déjà. Sur l'invitation de la réalisatrice Rachel Verdon, Serge Bouchard a rédigé plus de soixante-dix récits d'hommes et de femmes peu connus qu'il avait découverts au cours de ses recherches. Le réseau Internet témoigne du succès de la série : le site de Radio-Canada donne accès aux histoires diffusées auparavant et y ajoute quelques références et hyperliens. Depuis la parution du premier tome, *Elles ont fait l'Amérique,* on trouve aussi sur *YouTube* quelques vidéos mettant en relief certaines des femmes qui y figurent ainsi qu'une promotion dans laquelle les auteurs, Bouchard et Lévesque, parlent de leur ouvrage, qui vise à étendre le rayonnement des récits oraux dans le monde des livres.

Comme la série radiophonique, le livre est le fruit d'une collaboration : Marie-Christine Lévesque, qui partage la vie et le travail de Bouchard, comme on l'apprend dans l'avant-propos, a transposé avec lui à l'écrit un choix de récits. En résulte un livre captivant dans lequel les auteurs dessinent le portrait biographique de quinze femmes qui, telles que des milliers d'autres « oubliées», ont contribué à faire l'Amérique – « [f]aire, dans le sens de parcourir, faire dans le sens de tisser » (p. 12). Car l'Amérique ne se constitue pas seulement d'événements déterminants, de dates marquantes, de grands hommes – bref, de l'Histoire au sens traditionnel du terme –; l'Amérique existe aussi grâce à tous les voyageurs anonymes, les coureurs de bois, les trappeurs, les explorateurs qui l'ont parcourue ; qui plus est, elle a existé même avant, peuplée par les Amérindiens, les Inuits et les autochtones qui, précédant l'homme blanc, ont su habiter le continent depuis toujours. Parmi ces inconnus se trouvent aussi des femmes – intelligentes, fortes, intrépides, rusées et déterminées –, et ce sont leurs histoires que racontent Bouchard et Lévesque, convaincus que « c'est dans l'infra-histoire que [l'on] trouv[e] l'émotion véritable » (p. 11). Voilà la proposition qui sous-tend le projet entier : l'émotion, mot clé auquel on pourrait facilement ajouter amour et passion. De fait, l'ouvrage n'est pas un travail historiographique avec force citations, notes et une longue bibliographie – d'aucuns déploreront peut-être ce parti pris – ; il s'agit d'un livre de passionnés, de fouilleurs, de raconteurs qui ne cherchent pas à présenter des minibiographies neutres et objectives des quinze femmes, au contraire. Ils les aiment, ils veulent que les lecteurs et les lectrices les aiment aussi ; ils désirent apprendre au public des facettes de l'histoire nord-américaine que l'école n'enseigne pas (p. 14), l'histoire d'en-dessous, les petites histoires sur lesquelles est fondée l'Histoire. Ils savent aussi – et tout chercheur et toute chercheure en études autobiographiques en conviendrait – que les récits d'individus peuvent nous éclairer sur le collectif, que le personnel est souvent politique. Les exemples ne manquent pas dans le recueil.

Ainsi suit-on Marie-Anne Gaboury qui, au XIXᵉ siècle, accompagne son mari de Maskinongé jusque dans l'Ouest où elle chasse le bison à côté de lui, d'autres Franco-Canadiens et de Métis, et donne naissance à ses nombreux enfants. Dans la figure de Gaboury – grand-mère de Louis Riel – la petite histoire d'une grande aventurière rejoint l'histoire canadienne. Et puisque Bouchard s'intéresse notamment au destin souvent tragique des Amérindiens, plusieurs femmes de diverses tribus figurent dans l'ouvrage, telles Susan La Flesche Picotte, première Amérindienne médecin qui aide à secourir son peuple, les Omahas, au Nebraska, et Marie Iowa Dorion qui, avec son mari et ses deux petits garçons, se joint à l'expédition de l'American Fur Company d'Astor pour traverser, à partir de Saint-Louis, les grandes plaines de l'Ouest et les Rocheuses afin d'ouvrir le premier poste de traite sur la côte du Pacifique, exploit qu'ils réalisent difficilement après onze mois de piste. Et puisqu'il le faut, elle retraverse les Rocheuses à deux reprises, la dernière fois en plein hiver, toute seule avec ses enfants et deux chevaux… D'autres grandes exploratrices traversent le Labrador, dont Maud Maloney Watt et Mina Benson Hubbard qui, refaisant le trajet de son mari, mort en expédition deux ans auparavant, sera connue pour avoir tracé la première carte de l'est du Labrador. Il ne manque pas non plus de femmes d'origine française, comme Françoise-Marie Jacquelin, épouse de Charles de La Tour, qui meurt, guerrière, en Acadie, et Marie

Brazeau, venue se créer une nouvelle vie en Nouvelle-France : propriétaire d'une taverne à Montréal, sa réputation fut maintes fois compromise. À l'opposé de cette dernière se trouve la cantatrice québécoise Emma Lajeunesse, dite Albani, qui a connu une brillante carrière dans toutes les grandes maisons d'opéra en Europe.

Voilà donc quelques aperçus des quinze récits qui s'étalent du XVIIe au XXe siècle et se révèlent tous pleins de détails, de contrastes, de suspense et de couleurs. À la fin du livre se trouvent aussi, pour chacune des femmes, de deux à cinq références et les liens consultés (le site de Radio-Canada en fournit d'autres), ce qui permet d'exploiter le livre dans des cours, peut-être pas dans des cours d'anthropologie car les références sont trop minces, mais des cours d'études sur les femmes dans lesquels on pourrait s'interroger sur la représentation des femmes en littérature, en art, en histoire et dans cet ouvrage. Et les professeurs d'histoire pourraient remettre en question, par l'entremise de quelques cas bien choisis, le discours historiographique normatif et les grandes lacunes qu'il crée dans leur discipline.

Pour conclure, on ne peut pas ne pas mentionner le sous-titre malheureux au masculin : tous ceux qui connaissent la série originale sauront qu'hommes et femmes « oubliés » se côtoyaient joyeusement d'une émission à l'autre. Mais celle qui regarde la couverture pour la première fois et sans préavis reste incrédule devant l'accord au masculin pluriel après un pronom bien au féminin pluriel. Ce mal-là, il est fait (même si la quatrième de couverture remet les pendules à l'heure). Après avoir été privilégiées dans ce premier tome, les femmes se retrouvent subsumées sous le genre du plus fort, rôle stéréotypé que l'ouvrage tente de déconstruire… Pour terminer sur une note plus positive : très réussie s'avère l'iconographie de Francis Back, qui a créé deux dessins pour chaque femme, le premier évocateur de ses activités, de son caractère et de son époque, le second montrant les espaces précis où chacune a évolué en Amérique du Nord.

Monika Boehringer
Université Mount Allison

Louis Gagnon, *Louis XIV et le Canada : 1658-1674*, Québec, Les Éditions du Septentrion, 2011, 202 p.

Le début du règne absolu de Louis XIV aurait pu être une période prometteuse pour la Nouvelle-France. Mais dès 1674, les ambitions entretenues par les sympathisants de la colonie, des « visionnaires » tels que Vauban, maréchal de France, l'intendant Talon et le gouverneur Frontenac, semblaient déjà vouées à l'échec. Qu'est-ce qui aurait pu arriver de si dramatique en si peu de temps pour reléguer le Canada à son triste destin ? Telle est la question qui semble obséder Louis Gagnon dans son étude des enjeux géopolitiques d'une période cruciale dans l'histoire du Canada sous le régime français. Car le rêve d'un nouveau royaume français magnifique et prestigieux existait bel et bien dans l'esprit de beaucoup de gens à l'époque, mais sans l'appui concret du roi français, ce rêve devait rester une illusion.

Afin d'assurer la réussite de la colonie, une double stratégie, dont on fait part au jeune roi et à son *alter ego* Jean-Baptiste Colbert (secrétaire d'État à la marine, au commerce et aux colonies), s'impose : la « réduction » des Iroquois et l'accroissement de la population canadienne. En 1665, « l'année des grandes espérances » (p. 69), Louis XIV entreprend donc une guerre offensive contre l'une des nations iroquoises, tout en insistant sur une stratégie d'accommodement avec les tribus plus pacifiques. C'est vers cette époque d'ailleurs que les Jésuites commencent à voir une diminution de leur influence en faveur du gouverneur, qui représente l'autorité royale. Mais la politique coloniale de peuplement se révèle bientôt insuffisante, car le roi décide de limiter l'émigration, ne disposant pas d'assez de « sujets inutiles ». Il faut donc encourager les mariages dans la colonie (d'où l'envoi de quelques centaines de « filles à marier », mais pas beaucoup plus), dissuader les soldats de retourner en France et, enfin, « former un seul peuple, Français et *Sauvages* confondus » (p. 106), en favorisant les mariages et l'éducation des enfants amérindiens. Cette politique de Richelieu, abandonnée par les Jésuites, aurait été reprise par Colbert, et ce, malgré la difficulté bien attestée d'assimiler ou de « franciser » les peuples des Premières Nations.

Dans un premier temps, Louis XIV semble reconnaître aussi la nécessité de créer les conditions favorables au commerce, dont une marine de guerre capable de faire face à celles de l'Angleterre et de la Hollande. Néanmoins, malgré ses efforts, Colbert ne réussit pas à transmettre au roi son enthousiasme pour la restauration de la marine royale, dont dépend évidemment l'avenir de la colonie. Une trop grande prudence semble empêcher le roi de prendre des décisions qui auraient agrandi et renforcé la position stratégique de la colonie, par exemple la prise de possession de la Nouvelle-Hollande (qui comprend aujourd'hui la ville de New York), projet présenté au roi, qui le rejette aussitôt. Ses ambitions étaient toutes pour l'Europe et non pour l'Amérique.

On a l'impression que Gagnon veut régler des comptes avec le régime français et, en particulier, sa négligence envers la Nouvelle-France, une colonie qui, grâce à ses richesses naturelles et à sa vaste étendue, aurait pu devenir un grand pays puissant, en mesure de dépasser un jour la métropole (ainsi que le fera plus tard la Nouvelle-Angleterre). Louis XIV était en fin de compte trop « imbu de lui-même et de sa gloire » (p. 162) pour consacrer à sa colonie d'outre-mer les ressources nécessaires pour la relever quand elle en avait le plus besoin. Le Roi-Soleil aurait manqué tout simplement de vision, en croyant que sa plus grande renommée ne pouvait venir que de ses conquêtes militaires en Europe, d'où la nécessité d'entretenir une série de guerres interminables qui épuisèrent assez rapidement les trésors du royaume. (Le portrait de Louis XIV esquissé par Gagnon fait penser, certes, à George W. Bush.) Par ailleurs, l'absolutisme de Louis XIV s'accordait très mal avec l'esprit de liberté et d'indépendance du Nouveau Monde qui devenait de plus en plus difficile à étouffer – « vive le Québec libre », en effet ! Gagnon rappelle une autre phrase célèbre, celle de Voltaire, selon qui le Canada n'était que « quelques arpents de neige », dont la France n'avait pas tellement à s'inquiéter. Mais le philosophe des Lumières « n'était pas un visionnaire, contrairement à Vauban » (p. 162), l'« ardent défenseur de la cause canadienne » (p. 20). Gagnon dénigre d'une façon similaire le baron de Lahontan, qui aurait été le premier à confondre les « filles du roi » avec des « filles publiques ». Gagnon précise que l'auteur connu pour ses récits de voyage, la source de cette légende notoire, était un « déserteur passé au service de Fréderic IV du Danemark » (p. 174) – Radisson et Des Groseilliers n'auraient donc pas été les derniers à trahir les intérêts français. À la fin de l'ouvrage se trouve un curieux « supplément d'histoire » sur cette question toujours préoccupante des « filles du roi » : il s'agit de contrecarrer « une certaine hagiographie trop souvent portée sur le misérabilisme » (p. 181). Au contraire, les filles envoyées par le roi et destinées au mariage pour le peuplement de la colonie auraient eu au moins la possibilité d'une existence bien plus heureuse dans « une terre d'avenir », à la différence de celles condamnées à vivre en France dans la misère, sans avenir et sans espoir.

Le grand atout de ce livre réside dans le fait que Gagnon laisse souvent la parole aux principaux acteurs et témoins de l'époque par l'entremise de leurs correspondances et mémoires, et notamment Louis XIV et Colbert, Marie Guyart dite de l'Incarnation, Pierre Boucher (le gouverneur de Trois-Rivières) et Vauban. Plutôt que d'alourdir la lecture, le recours fréquent et stratégique à ces voix du passé offre de nouvelles perspectives fascinantes sur une brève période révolue dont on aurait pu méconnaître l'importance pour l'histoire canadienne et québécoise. Il s'agit, pour Gagnon, de retracer l'histoire de ce qui aurait pu être, et peut-être pour certains, de ce qui aurait dû être : « Le rêve d'un grand pays restera enfoui dans la mémoire collective des gens d'ici, les *habitués au pays* » (p. 162).

Constance Cartmill
Université du Manitoba

John Winslow, *Journal de John Winslow à Grand-Pré*, traduit par Serge Patrice Thibodeau, Moncton, Éditions Perce-Neige, 2010, 311 p.

En ce qui concerne la Déportation des Acadiens de 1755, il est souvent difficile de départager le mythe de la réalité. Rien de tel alors que la lecture du journal de John Winslow, « *the single most significant document of the Acadian removal*[6]», pour réviser notre représentation de cet événement déterminant de l'histoire acadienne. C'est à Serge Patrice Thibodeau, poète acadien et directeur littéraire des Éditions Perce-Neige, que revient le mérite d'avoir entrepris et mené à terme le projet de longue haleine de rendre ce document historique accessible, en le traduisant en français et en le mettant en circulation. À en juger par la réception enthousiaste de l'ouvrage, on est maintenant prêt à se libérer du mythe.

Adjoint du colonel Charles Lawrence, qui a orchestré la Déportation, le lieutenant-colonel John Winslow (1703-1774) était chargé de l'expulsion des Acadiens de Grand-Pré et de la région des Mines. À la manière du XVIIIe siècle, son journal militaire est constitué de documents variés, y compris des notes personnelles, des copies de sa correspondance avec les divers autres responsables de la Déportation, quelques pétitions officielles signées par des Acadiens, des copies de ses déclarations publiques et des notes sur le bétail et autres effets réquisitionnés aux Acadiens.

---

[6]   « […] en soi le document le plus important de la Déportation des Acadiens » (John Mack Faragher, *A Great and Noble Scheme: The Tragic Story of the Expulsion of the French Acadians from Their American Homeland*, New York et Londres, W.W. Norton & Company, 2005, p. 337). (Nous traduisons.)

À la lecture du texte, on est surpris par le niveau d'insécurité des Anglais. Malgré le fait que les armes de la population acadienne aient été confisquées et que tous les hommes et les garçons de plus de dix ans aient été emprisonnés, Winslow sent le besoin de construire une palissade pour assurer la sécurité de son camp. Il ne sera jamais non plus satisfait du nombre de soldats dont il dispose. Il est évident à la lecture de son journal que la Déportation des Acadiens n'est pour lui qu'un casse-tête administratif. Il avait non seulement à gérer la population acadienne, mais également à occuper et quelquefois à discipliner les soldats sous son commandement ; il devait aussi assurer l'approvisionnement de tous en vivres et en biens matériels. Cependant, sa principale contrariété était le manque de bateaux disponibles pour transporter la population acadienne et le délivrer de ce cauchemar de fonctionnaire.

Dans une lettre du 20 octobre 1755 envoyée au gouverneur William Shirley du Massachusetts, Winslow fait le tour de tous ses tracas administratifs :

> Nous embarquons les Habitants et j'aurais dû être débarrassé d'eux depuis longtemps si nous n'avions pas été en manque de navires de transport. J'ai pas mal nettoyé Grand-Pré et la rivière Gaspareau. Ceux de la Rivière-aux-Canards et de la Rivière-aux-Habitants ont commencé à s'embarquer hier, mais nous n'avons de vaisseaux de transport que pour environ 1 500 personnes, et je redoute d'en avoir 500 de plus dans mes districts. En fait, il semble probable que mon sort sera d'embarquer la moitié des gens en disposant seulement de 360 hommes, y compris les officiers, sans l'assistance d'aucun renfort ni rien d'autre pour me défendre que mes mousquets et la palissade que j'ai érigée autour de mon camp, dans laquelle [*sic*] j'ai souvent eu deux Français prisonniers pour chaque soldat (p. 244).

Sous la plume de Winslow, dont le style laconique et détaché peut être perçu comme de l'indifférence envers le sort des Acadiens, la froide et bête réalité se heurte au mythe.

En somme, la lecture du journal de Winslow est absolument fascinante. J'aimerais pouvoir en rester là, sur le constat d'une réalisation d'un intérêt indéniable et d'un travail de traduction bien exécuté, ainsi que sur cette lecture directe d'un document si fondamental pour l'histoire acadienne. Malheureusement, la traduction est précédée d'un texte de présentation d'une soixantaine de pages, auquel il manque la distance émotive nécessaire pour accompagner un document historique de façon appropriée. Bien que la perspective de Thibodeau se situe du côté de la réalité, l'émotion qu'il exprime dans son texte rappelle celle qui accompagne habituellement le mythe :

> Ma profession étant celle de *lecteur*, je préfère laisser la Déportation parler d'elle-même, je suis à son écoute, en lisant ou relisant les écrits de ceux qui l'ont faite et commentée, ceux qui nous craignaient et nous haïssaient, qui nous observaient et nous écrivaient, ceux qu'on appelle *les autres* et qui sont les principaux responsables de ce crime, nos ennemis lointains d'une époque fascinante et décisive pour la destinée de l'Amérique du Nord (p. 70).

L'apparente neutralité du début de la phrase et la prise de position catégorique qui suit peuvent sembler contradictoires, mais la position de Thibodeau est cohérente. Pour le militant des droits de la personne qu'il est depuis longtemps, le *crime* de la Déportation ne peut être nié. C'est le *crime*, et non le mythe, qui active ici la charge émotive. C'est le *crime* que Thibodeau cherche à confirmer dans sa lecture du manuscrit et c'est encore le *crime* qu'il essaie d'illustrer dans son texte de présentation, à partir d'éléments tirés d'entre les lignes du journal de Winslow. Le problème est qu'il ne laisse plus « la Déportation parler d'elle-même » ; en conséquence, le journal de Winslow perd de son tranchant en regard de la rhétorique enflammée du texte de présentation.

On pourrait peut-être excuser certaines images exagérées – par exemple la description des soldats anglo-américains comme « une cohorte de brutes » (p. 62) – et les intentions non justifiées parfois imputées à Winslow. À certains endroits, cependant, Thibodeau tombe dans l'extrapolation, voire dans l'invention : « Il se peut que les femmes fussent harcelées par des hommes à court de vivres et sans rien à boire. Peut-être résistaient-elles avec force aux avances lubriques de soldats qui les considéraient comme un butin de guerre ? » (p. 56) Dans de tels passages, l'absence de certitude historique est comblée par un questionnement suggestif. Devant l'omission de Winslow de donner des nouvelles d'une Acadienne maltraitée par ses soldats, Thibodeau avoue même sauter à la conclusion la plus sordide : « Encore une fois, on ne saura sans doute jamais ce qui lui arriva, mais les pires scénarios sont de l'ordre du possible » (p. 61).

En terminant, il est important d'insister sur le fait que la traduction du document historique, d'autant qu'on puisse en juger, demeure sans reproche[7]. Peut-on lire le journal de Winslow en faisant abstraction

---

[7]   Notons quand même que Thibodeau va au-delà de son rôle de traducteur en divisant le journal de Winslow en sections dont les titres sont tendancieux, comme « Les

du mythe de la Déportation? Je crois que oui, je crois même qu'il est nécessaire de le faire; entre le mythe et la réalité, il faut choisir une fois pour toutes. L'essai de Thibodeau soulève toutefois une nouvelle série de questions : est-il possible de substituer le crime au mythe? Surtout, est-il souhaitable de le faire, si cela signifie conserver le même bagage émotif?

Pénélope Cormier
Université McGill

André Magord (dir.), *Le fait acadien en France : histoire et temps présent,* [Moncton], Institut d'études acadiennes, Université de Moncton ; La Crèche (France), Geste éditions, 2010, 220 p.

Cet ouvrage collectif propose un bilan actualisé des continuités historiques, scientifiques, institutionnelles et culturelles qui ont contribué au renouvellement des collaborations entre la France et l'Acadie. L'ouvrage est divisé en deux parties. La première, consacrée à l'histoire du fait acadien en France, comprend, entre autres, une étude de Ronnie-Gilles LeBlanc sur le mystère qui persiste autour des « origines françaises du peuple acadien avant 1714 » et une réflexion critique de Jean-François Mouhot sur les diverses interprétations liées à l'intégration des réfugiés acadiens en France (1758-1785). La seconde partie présente la singularisation du fait acadien à partir des représentations de l'Acadie retrouvées dans la littérature française, en plus d'examiner le rôle du monde associatif et des lieux de mémoire de l'Acadie en France et en comparant les lexiques acadien et poitevin-saintongeais. Enfin, l'ouvrage collectif comprend également une lecture anthropologique de l'espace identitaire acadien en France, ainsi qu'une réflexion sociologique sur ce que représente la notion de « fait acadien en France ». Il s'agit alors d'un ouvrage pouvant intéresser des chercheurs de plusieurs différentes disciplines.

La couverture de l'ouvrage reflète bien son titre en présentant une mosaïque d'images en forme d'étoile qui renvoie à des symboles de

---

préparatifs, le guet-apens » ou « Les désagréments, la haine ». Par ailleurs, les notes en bas de page, si elles apportent souvent des précisions sur l'histoire ou sur des problèmes spécifiques de traduction, présentent parfois une interprétation abusive du document historique : « À partir d'ici, la calligraphie chancelante de John Winslow trahit soit une grande fatigue, soit l'engourdissement de ses doigts à cause du froid » (p. 240).

l'Acadie comme la mer, le drapeau acadien, un site historique acadien, etc. Bien entendu, comme l'Acadie n'est souvent représentée que par ses composantes historiques et généalogiques, notamment en France où il existe encore un fort attachement au lien de « cousinage », l'intérêt de ce livre pour les études acadiennes est sans aucun doute qu'il propose une synthèse réflexive et actuelle du « fait acadien » en France en adoptant une approche pluridisciplinaire, ce qui permet de rendre compte des différentes dynamiques constitutives de la pluralité acadienne. En effet, tout en présentant l'apport documentaire et historique de la question des origines des Acadiens et de leurs nombreuses trajectoires depuis la Déportation, les réflexions sociologiques et anthropologiques se penchent sur « le facteur humain vivant » permettant d'avancer l'idée qu'il existe aujourd'hui en France « un espace identitaire acadien ». Selon Bernard Chérubini, « le fait acadien en France doit être saisi à travers la grande diversité de ses initiatives locales, soit une Acadie discursive à plusieurs voix et voies » (p. 24). Cette Acadie se situe au cœur des festivals, des espaces muséographiques, des rassemblements de familles souches et des sites historiques variés qui constituent l'« espace identitaire acadien en France, [un espace] qui, de toute façon, ne peut être déconnecté de celui de l'Acadie » (p. 169).

Dans cette perspective, le « fait acadien en France » est analysé principalement à partir de « la continuité de liens historiques et affectifs qui ont contribué au dynamisme de la présence culturelle acadienne d'outre-Atlantique en France » (p. 21). Il s'agit surtout d'une étude sur le « fait acadien » plutôt que sur l'« identité acadienne » puisqu'en France, « l'identité acadienne n'est reliée ni à une langue distincte, ni à une culture spécifique » (p. 199) autres que celles liées à la France. La diaspora acadienne, quant à elle, est considérée dans *Le fait acadien en France* comme une référence centrale du monde acadien. De plus, les auteurs considèrent qu'elle s'insère dans les nouvelles dynamiques de la mondialisation, qui lui confèrent une capacité d'épanouissement tout à fait unique.

Selon Robert Viau, « [les] expériences vécues et [les] relations d'altérité dans un espace diasporique », d'après la littérature française, permettent d'accéder à une « ouverture vers les autres Acadie » (p. 24). Il précise que « l'Acadie demeure souvent, aux yeux des écrivains français, une colonie rattachée à la France, et les Acadiens, des Français en Amérique. [...] À titre d'exemple, en 1927, Léon Ville publie les romans *Le Martyre d'un peuple* et *Par le feu et par le fer* [qui sont des] romans [qui] confondent langue et nation et passent sous silence la "différence" acadienne, les décennies d'isolement et l'expérience nord-américaine » (p. 155).

Des associations comme les Amitiés acadiennes peuvent aussi agir comme force motrice pour la visibilité du « fait acadien » en France, mais la visibilité acadienne demeure tout de même fortement rattachée à des lieux de mémoire qui figent l'Acadie dans le passé, ce qui est une manière de récupérer une partie de son histoire, mais ne rend pas toujours compte de la complexité des enjeux contemporains liés à l'Acadie. Cela dit, cet ouvrage est constitué d'articles qui cherchent à aller au-delà d'une réflexion purement généalogique et à « se libérer de son homogénéité cristallisée dans le mythe [et] d'accéder à une représentation organisée à partir de l'articulation des singularités » (p. 205). Ainsi, Magord signale que « les limites du projet acadien en France redeviennent ainsi plus clairement celles qui sont inhérentes à la société française (qui ne valorise pas la diversité ethnoculturelle sur un plan national et où demeure une problématique postcolonialiste non résolue) » (p. 206). Cette résistance à la valorisation de la diversité ethnoculturelle peut être un obstacle à une vision détachée du passé qui permettrait de penser l'Acadie non seulement par ses liens avec la France, mais surtout à travers ses rapports avec l'espace nord-américain dans lequel se sont forgés un mode de vie, des manières de parler français et des repères identitaires qui diffèrent de la France.

Il y a des pistes innovatrices dans cet ouvrage, car le « fait acadien en France » est conceptualisé à partir d'une Acadie plurielle, avec ses différences et ses singularités. En ce qui concerne les questions de langue, la comparaison synchronique des lexiques acadien et poitevin-saintongeais proposée par Liliane Jagueneau et Louise Péronnet est très intéressante et contribue à une réflexion linguistique qui nous apparaît centrale dans toute étude sur le rapport entre l'Acadie et la France.

Cela dit, l'absence d'article portant plus précisément sur les repré-sentations linguistiques ne permet pas de poser la problématique liée à la construction d'un « espace identitaire acadien en France », qui est celle du rapport à la langue française dans le façonnement de cet « espace identitaire acadien ». Alors qu'André Magord reconnaît le souci quotidien des Acadiens de s'exprimer dans leur langue maternelle pour revendiquer pleinement leur identité, cette dernière n'est pas prise en compte dans l'ouvrage, puisqu'elle est perçue comme étant « subjective » et sans résonance en France. Une discussion sur les concepts mêmes de « subjectivité » et d'« objectivité » aurait pu mieux éclairer ce choix. La question identitaire sous-tend tout de même plusieurs réflexions menées dans cet ouvrage, dont une excellente déconstruction, par Jean-François Mouhot, de trois mythes concernant les réfugiés acadiens en France (1758-1785). Dans sa contribution, Mouhot insiste sur l'importance de définir le terme « identité » au lieu de présumer que son sens va de soi. Ce faisant, est-il possible de parler de « fait acadien » en faisant abstraction de la problématique identitaire acadienne ? Peut-il exister un « fait acadien » indépendamment d'une identité acadienne ?

Isabelle LeBlanc
Université de Moncton

Benoit Doyon-Gosselin (dir.), Dossier « Herménégilde Chiasson », *Voix et images*, vol. 35, n° 1 (103) (automne 2009), p. 96-100.

Herménégilde Chiasson, c'est quelqu'un – ou plutôt, c'est quelques-uns ; car, à vrai dire, on sait qu'il y en a toujours eu plus d'*un*. Chiasson, en plus d'être poète, est cinéaste, dramaturge, peintre, artiste visuel. Depuis la parution du recueil *Mourir à Scoudouc* (1974), il est l'auteur de plus d'une centaine d'œuvres de genres différents et récipiendaire de nombreux prix, dont celui du Gouverneur général (1991), le Grand Prix de la francophonie canadienne (1999) et le prix (quinquennal) Antonine Maillet-Acadie Vie (2003). Détenteur d'un diplôme de premier cycle, de deux maîtrises et d'un doctorat, Chiasson est un grand érudit. D'ailleurs, c'est lui le premier qui m'a fait connaître le mot « dada », dans le cadre d'un cours de philosophie de l'art à l'Université de Moncton. De 2003 à 2009, il a été lieutenant-gouverneur du Nouveau-Brunswick. Il est chevalier de l'Ordre des Arts et des Lettres et chevalier de l'Ordre de la Pléiade. Il faut s'empêcher d'en rajouter.

Composé de cinq articles, d'un entretien avec l'auteur, de textes inédits et d'une bibliographie, ce dossier de *Voix et images*, sous la direction de Benoit Doyon-Gosselin, aime nous rappeler cette identité plurielle de Chiasson, de même que celle de son œuvre, qui est « foisonnante » (p. 7), « multidisciplinaire » (p. 7), d'une « conception baroque et poly-phonique » (p. 35), un ensemble de « *fragments*, éclats, éclairs, effets »

(p. 37). Ce dossier nous rappelle aussi que Chiasson, c'est effectivement quelqu'un, ou bien, presque quelque chose, c'est-à-dire une hyperbole : il est « sans émule » (p. 8) ; c'est « l'un des poètes les plus importants » et « l'un des cinéastes les plus prolifiques » (p. 7) de l'Acadie, de même que « l'un des artistes les plus polyvalents de l'Amérique du Nord » (p. 10). Herménégilde, c'est « le grand Hermé » (du titre de l'introduction au dossier signée par Doyon-Gosselin, p. 7-12) ; c'est « Hermès » (du titre de l'article de Laurent Mailhot, p. 37-50).

Soit, et il serait difficile de nier la *différence* qui caractérise l'œuvre de Chiasson ou l'importance de l'artiste dans le contexte de la littérature américaine d'expression française. C'est peut-être en raison de la nature du lectorat de *Voix et images*, revue de littérature *québécoise*, qu'on renchérit sur ces évidences. Pourtant, parmi les cinq textes – l'entretien avec l'auteur, les inédits et la bibliographie mis à part – qui traitent de Chiasson et de son œuvre, les plus intéressants sont ceux qui, d'un côté, mettent l'accent sur la cohérence, sinon l'homogénéité, de son discours malgré les apparences et, de l'autre, tentent de situer l'artiste dans son contexte immédiat, à savoir l'Acadie. Dans « Le passé, le présent et l'avenir de la littérature acadienne chez Herménégilde Chiasson » (p. 51-62), Pénélope Cormier, de l'Université McGill, nous montre qu'en dépit de la « multitude hétéroclite de textes », il y a chez l'écrivain l'expression fondamentale d'une « tension entre son allégeance esthétique et idéologique à la modernité et sa fidélité envers l'Acadie» (p. 52). Quant à lui, Raoul Boudreau, de l'Université de Moncton, dans « La vision de l'art et de l'artiste de province dans les essais d'Herménégilde Chiasson » (p. 63-79) trouve chez « cet écrivain polygraphe » (p. 63) l'esthétique de celui qui « s'est servi du sentiment d'exclusion qui frappe les petites cultures comme d'un tremplin pour relancer son écriture » (p. 79). Ces deux textes semblent mieux s'adresser à un lectorat pour qui l'intérêt que suscite l'œuvre de Chiasson n'exige pas de légitimation.

Depuis la parution de ce dossier, Herménégilde est devenu officier de l'Ordre du Canada et a reçu le prix Molson du Conseil des arts du Canada. Ce ne seront certainement pas les dernières marques d'honneur qu'il recevra, et, en conséquence, on s'attendra à d'autres dossiers de ce genre. Néanmoins, je souhaite qu'à un moment donné on ne sente plus le besoin de clamer la gloire de Chiasson sur tous les toits, ce qui est sans doute, et malheureusement, le sort des minoritaires. De mon côté, ce que j'attends avec le plus d'impatience, c'est la trilogie romanesque qu'il prépare, d'après ce que j'ai appris dans l'« entretien » avec l'auteur qui se trouve dans ce dossier. Ça, c'est à crier sur les toits.

Glenn Moulaison
Université de Winnipeg

Agnès Whitfield (dir.), *L'écho de nos classiques :* Bonheur d'occasion *et* Two solitudes *en traduction*, Ottawa, Les Éditions David, 2009, 356 p., collection « Voix savantes ».

Issu d'un colloque qui a eu lieu à Paris en septembre 2008, cet ouvrage réunit dix-huit études traitant des « aventures » vécues à l'étranger par deux ouvrages majeurs de la littérature canadienne : *Bonheur d'occasion* de Gabrielle Roy et *Two Solitudes* de Hugh MacLennan, tous deux publiés en 1945. Onze textes sont écrits en français (l'un est traduit du russe au français), les sept autres le sont en anglais, et l'ensemble est divisé en quatre parties, chacune composée de quatre ou cinq articles, intitulées respectivement : « *Bonheur d'occasion* : premiers parcours » ; « *Bonheur d'occasion* à l'aune du communisme » ; « *Bonheur d'occasion* : traversées interrompues et dialogues nouveaux » ; et « *Two Solitudes* : lectures transnationales ». En outre, deux pages reproduisent sur papier glacé les portraits de Roy (p. 35) et de MacLennan (p. 187), par le peintre québécois Daniel Gagnon-Barbeau. Les auteurs, quant à eux, sont affiliés à des universités de treize pays : le Canada, l'Estonie, les États-Unis, la France, la Lettonie, la Lituanie, la Norvège, la Pologne, la République tchèque, la Roumanie, la Slovaquie, la Suède et l'île de Taiwan.

Si les deux ouvrages phares se sont imposés dès leur parution comme des best-sellers non seulement au Canada mais aussi aux États-Unis, c'est qu'au-delà de leurs qualités littéraires, ils font connaître de manière réaliste le Canada des années de la Seconde Guerre mondiale, soit une société qui, en voie d'urbanisation, connaissait, entre autres, la pauvreté et l'inégalité entre les sexes, tandis que, biculturelle et bilingue, elle vivait des tensions interculturelles et des conflits internationaux. Hors du continent nord-américain, l'intérêt et les interprétations qu'ont suscités les deux auteurs varient certes selon les pays, leur aptitude à comprendre les caractéristiques de la société canadienne, la capacité des langues à exprimer tel ou tel trait sociolinguistique ou, encore, à rendre compte de l'idéologie du régime politique au pouvoir.

La majorité des collaborateurs de *L'écho de nos classiques* s'intéresse à des questions soulevées en rapport avec la traduction de l'un ou de l'autre roman, dont notamment les facteurs socioculturels ou historico-politiques ayant influencé ou ayant pu influencer le choix de traduire ou non un ouvrage donné à tel moment de l'Histoire. Sur ce chapitre, trois textes relèvent la traduction presque immédiate de *Bonheur d'occasion* : celle de Whitfield pour les États-Unis, qui a suscité l'intérêt pour le roman dans d'autres pays ; celle de Bente Christensen pour la Norvège, pays alors très intéressé par le contenu social de l'ouvrage ; et celle de Cecilia Alvstad pour la Suède, qui a omis dans la sienne des passages jugés mornes (« *dreary* »). D'autres études révèlent les circonstances de sa traduction « tardive » en roumain (Rodica Dimitriu), en russe (Anna Bednarczyk), en tchèque (Zuzana Malinovská, Jovanka Šotolová) et en lituanien (Regina Kvašytė et Genovaité Kačiuškienė), sinon l'absence en certains pays d'une traduction du roman « urbain » de Roy (Chiara Bignamini pour les pays germanophones, Elżbieta Skibińska pour la Pologne) ou la qualité inadéquate de la traduction estonienne de *Two Solitudes* (Tiina Aunin, Reet Sool). Pour ce qui est de la façon dont un contexte sociohistorique donné infléchit la lecture d'un texte en particulier, il est intéressant d'apprendre, entre autres, que si, en Amérique du Nord, on tend à attribuer au personnage de Jean Lévesque le rôle du héros urbain individualiste inscrit sous le signe de la réussite sociale, ailleurs, c'est Emmanuel Létourneau qui revêt le caractère d'un héros du prolétariat.

Cinq auteurs abordent la problématique centrale du recueil sous d'autres angles : Margot Irvine souligne que le prix Fémina attribué en France, en 1947, au roman de Roy a ouvert les portes de l'institution littéraire française à d'autres ouvrages canadiens-français et, ultimement, aux littératures de la francophonie ; et Madelena Gonzalez, que le roman de MacLennan relève d'une esthétique de la littérature minoritaire au sens de Gilles Deleuze et Félix Guattari, et ce, dans la mesure où le souci de traduire pour le public anglophone le parler des francophones a conduit l'écrivain à créer un anglais déterritorialisé. Dana Patrascu-Kingsley, quant à elle, décèle chez Roy l'expression d'une transculturalité « naissante », puisque son roman suggère la nécessité d'établir des ponts entre différents peuples, mais représente les citoyens de l'Europe centrale et de l'Est sous les traits d'une altérité à l'égard de laquelle narrateur et personnages ne ressentent qu'une sorte de compassion vague et abstraite.

Pour Michael G. Paulson, les « liens et parallèles bien frappants » entre *Bonheur d'occasion* et *Otra vez el mar* et *Viaje a La Habana* de l'écrivain cubain Reinaldo Arenas invitent plutôt à se demander si le Cubain avait lu ou connu Gabrielle Roy. Bennett Yu-Hsiang Fu, pour sa part, entreprend l'étude comparative du roman de Roy et de *Jinshengyuan* (*The fate this life*), de l'écrivain taiwanais Qiongqiong Yuan, du point de vue de la représentation de l'espace, des classes sociales et des genres dans le contexte d'une identité provinciale / nationale émergente.

Quel que soit l'angle sous lequel la problématique centrale du recueil est abordée, sont fréquemment soulignés les défis d'ordre linguistique présentés par la traduction, et ce, non seulement à cause de la nature parfois profondément différente de la langue source par rapport à la langue cible, ou du stade de développement culturel de la société au sein de laquelle une traduction donnée a été faite, mais aussi parce que, sur le plan langagier, la version originale de chacun des ouvrages porte déjà des marques de l'hétéroglossie interne profonde de la société inter et multiculturelle représentée.

La variété des perspectives et des rapports interculturels traités dans *L'écho de nos classiques* signifie que le lecteur sera forcément plus intéressé par certains chapitres que par d'autres. Du reste, le livre n'échappe pas aux travers de ce genre d'ouvrage collectif, à savoir l'inégalité de la qualité des études réunies. En outre, le volume aurait dû bénéficier d'un travail d'édition plus soigné afin d'en éliminer les coquilles, les erreurs syntaxiques et de ponctuation, les choix erronés de préposition ou le mélange de temps verbaux. Cela dit, il faut souligner et admirer le courage dont fait preuve Agnès Whitfield dans l'introduction et dans le chapitre qu'elle donne au recueil. Que l'introduction révèle que Whitfield a eu de la difficulté à financer le colloque, notamment de la part du ministère des Affaires extérieures, et que cela l'amène à confirmer le peu d'importance que le gouvernement Harper accorde « à nos propres classiques, à notre propre littérature », ne saurait nous étonner outre mesure. En revanche, lire ses commentaires sur la difficulté d'effectuer des recherches sur l'une des auteures canadiennes les plus renommées, et ce, au Canada encore plus que dans les pays de l'ancien bloc communiste, où les recherches ont été « ardues » à cause d'une censure « très serrée », mais n'en ont pas été moins fructueuses, voilà qui requiert notre attention.

En reprochant au « biographe héritier » du Fonds Gabrielle Roy « son obscure gestion des dernières décennies », laquelle, selon elle, a pour conséquence de « perpétuer un monde de silence et d'interdit », Whitfield réprouve la tendance à « perpétuer une image angélique […] fausse » de l'écrivaine plutôt qu'à « os[er] aborder les sujets un peu plus épineux autour de Roy, dans un livre audacieux et honnête ». Aussi critique-t-elle le fait qu'encore aujourd'hui, il est impossible de consulter certains documents et lettres du Fonds Gabrielle Roy : après avoir souligné que les efforts déployés pour restreindre la recherche ont duré plus que suffisamment, notamment en écrivant deux fois le verbe « perpétuer », elle se demande s'il ne serait pas temps « de passer la main et de laisser la succession de Roy s'ouvrir aux chercheurs ».

Dans le premier chapitre du recueil, Whitfield révèle que l'examen des seuls documents et lettres mis à la disposition des chercheurs contribue à déconstruire l'image angélique de Roy. En traitant de la traduction américaine de *Bonheur d'occasion* par Hannah Josephson, elle se penche sur la correspondance entre Roy et Josephson afin de dévoiler la façon dont l'écrivaine a collaboré avec la traductrice. Rappelons pour mémoire que si la traductrice et sa traduction, *The Tin Flute*, ont été stigmatisées, c'est principalement parce que Josephson avait confondu « poudrerie québécoise » et « *powderworks* », c'est-à-dire entrepôts d'explosifs. Or il s'avère qu'une (bonne) part de la responsabilité de l'erreur revenait à Roy et à son agent. En effet, pendant le processus de traduction, Josephson et Roy ont été en contact, mais curieusement, l'écrivaine n'a su ni communiquer efficacement avec la traductrice au sujet de cette erreur, ni lire / corriger soigneusement les épreuves, ni admettre qu'elle était en partie responsable de la faute en question, répétée par la suite dans les nombreuses rééditions de la traduction. Au terme de son étude, Whitfield affirme qu'il « est triste de constater qu'une femme censée être d'une sensibilité éveillée et d'une intelligence d'avant-garde ait pu faire subir ce traitement indigne à une autre femme créatrice », mais souligne que le cas permet de confirmer « la vocation de l'écriture (et celle de la traduction, sa fidèle accompagnatrice) à nous éclairer sur les vérités et les faux-semblants du monde » (p. 59).

En 2006, on a assisté à la publication du recueil dirigé par Claude La Charité, *Gabrielle Roy traduite* (Éditions Nota bene), dont l'article éponyme formule quatre séries d'interrogations soulevées par les traductions en langues étrangères, en plus de proposer la première bibliographie des traductions partielles ou intégrales des ouvrages de Roy en dix-huit langues. À l'exception d'un article qui présente le cas d'un texte que Roy avait elle-même traduit de l'anglais au français tout en l'augmentant, les autres articles abordent la traduction de l'œuvre royenne en anglais, en allemand et en ukrainien. *L'écho de nos classiques* fait plus que poursuivre et approfondir les recherches entamées en 2006. À force d'aborder une variété de questions au sujet des traductions de deux romans phares parus sur la scène littéraire, l'ouvrage souligne l'importance des dialogues inter et transculturels pour les traductions littéraires, et vice versa, ainsi que celle des traducteurs pour le rayonnement mondial d'une littérature. Ce faisant, il nous aide à comprendre jusqu'à quel point les versions originales et traduites de deux classiques d'ici ont contribué à faire reconnaître sur la scène internationale les réalités culturelles et linguistiques spécifiques du Canada. De fait, ce furent au départ les liens entre New York et Paris qui assurèrent la renommée internationale de *Bonheur d'occasion* et de *Two Solitudes* à l'époque où le Canada ne s'était pas encore doté des traditions et des institutions nécessaires à l'épanouissement de ses deux cultures fondatrices. Tel que le souhaite Whitfield, s'en rendre compte pourrait bien renouveler la foi en nos moyens d'expression.

Pamela V. Sing
Université de l'Alberta
Campus Saint-Jean

Publications et thèses soutenues (2010-2011)

Krysteena Gadzala
Université de Waterloo

CETTE BIBLIOGRAPHIE, partielle, comprend des livres publiés et des thèses soutenues depuis 2010. Nous nous sommes concentrée sur les aires culturelles suivantes : le Canada français, le Québec, l'Acadie, les États-Unis, les Antilles et Haïti, en maintenant une approche pluridisciplinaire. Enfin, les œuvres littéraires, trop nombreuses, n'ont pas fait l'objet du recensement.

Les titres précédés d'un astérisque font l'objet d'une recension dans le présent numéro.

Nous tenons à remercier François Paré de ses conseils pendant la réalisation de ce projet.

LIVRES

ANCTIL, Pierre, et Ira ROBINSON (dir.). *Les communautés juives de Montréal : histoire et enjeux contemporains*, traduit de l'anglais par Chantal Ringuet, Québec, Les Éditions du Septentrion, 2010, 278 p.

ANGLO, Roger. *Martinique, Guyane, Guadeloupe : les raisons de la colère… …les conditions du changement*, Paris, L'Harmattan, 2010, 228 p.

ARGOD-DUTARD, Françoise (dir.). *La langue française : de rencontres en partages*, Rennes, Presses universitaires de Rennes, 2010, 385 p.

BARTHE, Charles-André. *Incursion dans le Détroit : Journaille commansé le 29 octobre 1765 pour le voiage que je fais au Mis a Mis*, édité par France Martineau et Marcel Bénéteau, Québec, Les Presses de l'Université Laval, 2010, 148 p.

Beaudet, Marie-Andrée, et Karim Larose (dir.). *Le marcheur des Amériques : mélanges offerts à Pierre Nepveu*, Montréal, Département des littératures de langue française, Université de Montréal, 2010, 259 p., coll. « Paragraphe ».

Bernier, Robert (dir.). *L'espace canadien : mythes et réalités : une perspective québécoise*, Québec, Presses de l'Université du Québec, 2010, 558 p.

Biskri, Ismaïl, et Adel Jebali (dir.). *Multilinguisme et traitement des langues naturelles*, Québec, Presses de l'Université du Québec, 2010, 186 p.

Blay, Jacqueline. *Histoire du Manitoba français*, t. 1 : *Sous le ciel de la Prairie*, Saint-Boniface, Éditions du Blé, 2010, 384 p.

Bleys, Olivier. *Voyage en Francophonie : une langue autour du monde*, Paris, Éditions Autrement, 2010, 63 p.

Boehringer, Monika, Kirsty Bell et Hans R. Runte (dir.). *Entre textes et images : constructions identitaires en Acadie et au Québec*, Moncton, Institut d'études acadiennes, 2010, 392 p.

*Bouchard, Serge, et Marie-Christine Lévesque. *De remarquables oubliés*, t. 1 : *Elles ont fait l'Amérique*, Montréal, Lux éditeur, 2011, 448 p.

Bray, Matt (dir.). *L'Université Laurentienne : une histoire*, en collaboration avec Linda Ambrose, Guy Gaudreau, Sara Burke et Donald Dennie, Montréal, McGill-Queen's University Press, 2010, 460 p.

Breton, Yves. *Histoire de l'avènement du Canada aussi appelé Nouvelle-France*, Ottawa, Éditions du Vermillon, 2010, 188 p.

Comeau, Robert, Charles-Philippe Courtois et Denis Monière (dir.). *Histoire intellectuelle de l'indépendantisme québécois*, t. 1 : *1834-1968*, Montréal, VLB éditeur, 2010, 288 p.

Conteh-Morgan, John, et Dominic Thomas. *New Francophone African and Caribbean Theatres*, Bloomington (Indiana), Indiana University Press, 2010, 230 p.

CORBLIN, Colette, et Jérémi SAUVAGE (dir.). *L'enseignement des langues vivantes étrangères à l'école : impacts sur le développement de la langue maternelle*, Paris, L'Harmattan, 2010, 232 p.

CUQ, Jean-Pierre, et Patrick CHARDENET (dir.). *Faire vivre les identités : un parcours en francophonie*, Paris, Éditions des archives contemporaines, 2010, 217 p.

DAOUST, Jean-Paul. *Carnets de Moncton*, Moncton, Éditions Perce-Neige, 2010, 66 p.

DAWSON, Nelson-Martin. *Fourrures et forêts métissèrent les Montagnais : regards sur les sang-mêlés au Royaume du Saguenay*, Québec, Les Éditions du Septentrion, 2010, 322 p.

ELLIS, Scott S. *Madame Vieux Carré: The French Quarter in the Twentieth Century*, Jackson (Mississippi), The University Press of Mississippi, 2010, 240 p.

FALKERT, Anika. *Le français acadien des Iles-de-la-Madeleine : étude de la variation phonétique*, Paris, L'Harmattan, 2010, 303 p.

FORTIN, Réal. *1760, les derniers jours de la Nouvelle-France : journaux britanniques traduits, annotés et présentés par Réal Fortin*, Québec, Les Éditions du Septentrion, 2010, 293 p.

GERVAIS, Gaétan, et Jean-Pierre PICHETTE (dir.). *Dictionnaire des écrits de l'Ontario français : 1613-1993*, Ottawa, Les Presses de l'Université d'Ottawa, 2010, 1150 p.

HAZAN, Olga. *La culture artistique au Québec au seuil de la modernité : Jean Baptiste Lagacé, fondateur de l'histoire de l'art au Canada*, Québec, Les Éditions du Septentrion, 2010, 620 p.

HÉBERT, Léo-Paul. *Les Clercs de Saint-Viateur au Canada, 1947-1997*, Québec, Les Éditions du Septentrion, 2010, 996 p.

HOTTE, Lucie (dir.). *(Se) Raconter des histoires : Histoire et histoires dans les littératures francophones du Canada*, Sudbury, Prise de parole, 2010, 688 p.

LABELLE, Micheline. *Racisme et antiracisme au Québec : discours et déclinaisons*, Québec, Presses de l'Université du Québec, 2010, 212 p.

LAROCQUE, Jean-Claude, et Denis SAUVÉ. *Étienne Brûlé*, t. 1 : *Le fils de Champlain*, Ottawa, Les Éditions David, 2010, 136 p.

LAROCQUE, Jean-Claude, et Denis SAUVÉ. *Étienne Brûlé*, t. 2 : *Le fils des Hurons*, Ottawa, Les Éditions David, 2010, 172 p.

LONERGAN, David. *Paroles d'Acadie : anthologie de la littérature acadienne (1958-2009)*, Sudbury, Prise de parole, 2010, 447 p.

*MAGORD, André (dir.). *Le fait acadien en France : histoire et temps présent*, [Moncton], Institut d'études acadiennes, Université de Moncton ; La Crèche (France), Gestes éditions, 2010, 220 p.

McDONALD, Christie, et Susan RUBIN SULEIMAN (dir.). *French Global: A New Approach to Literary History*, New York, Columbia University Press, 2010, 576 p.

MIGNEAULT, Pier-Luc. *Les gouvernements minoritaires au Canada et au Québec : historique, contexte électoral et efficacité législative*, Québec, Presses de l'Université du Québec, 2010, 138 p.

MORRIS, Michael A. (dir.). *Canadian Language Policies in Comparative Perspective*, Montréal, McGill-Queen's University Press, 2010, 429 p.

PANNETON, Jean. *Le Séminaire Saint-Joseph de Trois-Rivières, 1860-2010*, édition de luxe, Sillery (Québec), Les Éditions du Septentrion, 2010, 384 p.

PELLETIER, Benoît. *Une certaine idée du Québec : parcours d'un fédéraliste : de la réflexion à l'action*, Québec, Les Presses de l'Université Laval, 2010, 642 p.

PERREAULT, Robert B. *Franco-American Life & Culture in Manchester, New Hampshire: Vivre la différence*, Charleston (South Carolina), The History Press, 2010, 144 p.

PETIT, Jacques-Guy, *et al.* (dir.). *Les Inuit et les Cris du Nord du Québec : territoire, gouvernance, société et culture*, Québec, Presses de l'Université du Québec ; Rennes, Presses universitaires de Rennes, 2010, 432 p.

PILOTE, Annie, et Sílvio MARCUS DE SOUZA CORREA (dir.). *L'identité des jeunes en contexte minoritaire*, Québec, Les Presses de l'Université Laval, 2010, 184 p.

SYLVESTRE, Paul-François. *Lectures franco-ontariennes 3*, Toronto, GREF, 2010, 173 p.

TESSON, Geoffrey, *et al.* (dir.). *La création de l'École de médecine du Nord de l'Ontario : une étude de cas dans l'histoire de la formation médicale*, Montréal, McGill-Queen's University Press, 2010, 280 p.

THIBAULT, André. *Gallicismes et théorie de l'emprunt linguistique*, Paris, L'Harmattan, 2010, 247 p.

TROUILLOT, Lyonel, et Louis-Philippe DALEMBERT. *Haïti, une traversée littéraire*, Port-au-Prince, Presses nationales d'Haïti, 2010, 171 p.

VALDMAN, Albert (dir.). *Dictionary of Louisiana French: As Spoken in Cajun, Creole, and American Indian Communities*, Jackson (Mississippi), The University Press of Mississippi, 2010, 892 p.

WALL, Anthony (dir.). *Words and Image: A French Rendez-vous*, Calgary, University of Calgary Press, 2010, 276 p.

*WINSLOW, John. *Journal de John Winslow à Grand-Pré*, traduit par Serge Patrice Thibodeau, Moncton, Éditions Perce-Neige, 2010, 311 p.

ZACAÏR, Philippe (dir.). *Haiti and the Haitian Diaspora in the Wider Caribbean*, Gainesville, University Press of Florida, 2010, 218 p.

ZUNZ, Olivier (dir.). *Alexis de Tocqueville and Gustave de Beaumont in America: Their Friendship and Their Travels*, traduit par Arthur Goldhammer, Charlottesville (Virginia), University of Virginia Press, 2010, 744 p.

THÈSES

ANDREWS, Karen. *Cross-linguistic Transference of Reading Skills: Assessing Reading Difficulties in Early French Immersion Students*, thèse de maîtrise, University of Northern British Columbia, 2010, 172 p.

BARANOWSKI, Krystyna A. *Setting the Scene for Liminality: Non-Francophone French Second Language Teachers' Experience of Process Drama*, thèse de doctorat, Université McGill, 2010, 246 p.

BARNETT, Brian. *French Immersion Teachers' Attitudes Towards Louisiana Varieties of French and the Integration of Such Varieties in their Classroom: A Quantitative and Qualitative Analysis*, thèse de doctorat, Université de l'Indiana, 2010, 423 p.

BEAULIEU, Diane. *La théâtralité dans* Une adoration : *du roman au théâtre, de Nancy Huston à Lorraine Pintal*, thèse de maîtrise, Université du Québec à Montréal, 2010, 129 p.

BIGGAR, Beverley Anne. *French as a Second Language in Canada: a Publisher's Perspective*, thèse de maîtrise, Université de Toronto, 2010, 105 p.

CAMP, Albert Sidney. *Louisiana's Hope for a Francophone Future: Exploring the Linguistic Phenomena of Acadiana's French Immersion Schools*, thèse de maîtrise, Louisiana State University, 2010, 72 p.

CHAGNON, Patricia. *Le journalisme radiophonique à Radio-Canada dans l'Ouest : desservir sa communauté. Existe-t-il une pratique distincte entre les provinces en milieu minoritaire?*, thèse de maîtrise, Université du Manitoba, 2010, 150 p.

CHOEB SABER CHENDI, Wael. *L'étude de l'activité théâtrale sur le développement des compétences de l'écriture créative chez les apprenants du français langue seconde*, thèse de maîtrise, Université de Moncton, 2010, 150 p.

CHOQUETTE, Hugo Yvon Denis. *Translating the Constitution Act, 1867: a Legal-Historical Perspective*, thèse de maîtrise, Université Queen's, 2009, 109 p.

DESROCHERS, Philippe. *Une validation de la version canadienne-française du Trauma Symptom Inventory (TSI) de Brière (1995)*, thèse de doctorat, Université du Québec à Trois-Rivières, 2010, 209 p.

DIONNE-OUELLET, Emilie. *Le Projet TRANSGRAM : étude des effets d'une démarche grammaticale inspirée de la démarche active de découverte sur le transfert désapprentissages grammaticaux au 3ᵉ cycle du primaire*, thèse de maîtrise, Université de Sherbrooke, 2010, 292 p.

DUBÉ, Alexandre. *Les biens publics : culture politique de la Louisiane française 1730-1770*, thèse de doctorat, Université McGill, 2009, 673 p.

DUBUC, Martin Patrick. *Questionnaire sur l'ambiance sportive des jeunes : the Development of an Instrument to Assess Cohesion of Francophone Youth*, thèse de maîtrise, Université Laurentienne, 2010, 131 p.

DUPUIS, Serge. *L'émergence de la Floride canadienne-française : l'exemple de la communauté de Palm Beach, 1910-2010*, thèse de maîtrise, Université d'Ottawa, 2010, 165 p.

EL DARDIRY, Shadia. *Investigating Perspectives about Integration amongst Native French and Second-Generation North African French Citizens*, thèse de maîtrise, Université McGill, 2010, 109 p.

GIROUARD, Janie. *Pratiques pédagogiques qui influencent la réussite des élèves en science en milieu minoritaire francophone au Programme d'indicateurs au rendement scolaire (PIRS) III, 2004*, thèse de maîtrise, Université de Moncton, 2010, 275 p.

JACOB, Élise. *La représentation de l'adolescente contestataire dans deux romans québécois pour la jeunesse*, thèse de maîtrise, Université du Québec à Trois-Rivières, 2010, 142 p.

LAPLANTE, Stéphanie. *Facteurs de risque de l'obésité chez les jeunes (enfants et adolescents) âgés entre 4 et 18 ans résidant dans les provinces de l'Atlantique : étude descriptive*, thèse de maîtrise, Université de Moncton, 2010, 99 p.

LAURENCE, Anouk. *La traduction en mineur : étude de la complicité culturelle et linguistique du Québec et de l'Écosse par le biais de traduction d'œuvres dramatiques*, thèse de maîtrise, Université McGill, 2010, 100 p.

LEBEL, Roger. *Novice Teachers' Perceptions of their Preparedness for Selected Challenges and Responsibilities facing Teachers in a Minority Francophone Environment*, thèse de maîtrise, Université de Windsor, 2010, 131 p.

MARTINEAU, Sébastien D. *Are we Flipping Coins with the Liberty of Potentially Dangerous Individuals? A Comparative Analysis*, thèse de maîtrise, Université de Dalhousie, 2010, 212 p.

McLaughlin, Mireille. *L'Acadie Post-Nationale : Producing Franco-Canadian Identity in The Global Economy*, thèse de doctorat, Université de Toronto, 2010, 270 p.

Paul, Marianne. *Predictors of Consonant Development and the Development of a Test of French Phology*, thèse de maîtrise, Université McGill, 2010, 91 p.

Peters, Julia. *Variable Lexicalization of Dynamic Events in Language Production: a Comparison of Monolingual and Bilingual Speakers of French and English*, thèse de doctorat, Université de l'Alberta, 2010, 299 p.

Piechowiack, Alicia. *What is "Good" Quality oral French? Language Attitudes Towards "Differently" accented French in Quebec*, thèse de maîtrise, Université McGill, 2010, 93 p.

Schroth, Terri Lee. *Student Perspectives on Study Abroad: The Case of Louisiana State University's Summer Internships in the French Alps*, thèse de doctorat, Louisiana State University, 2010, 282 p.

Sieres, Karina Victoria. *Les attachements conflictuels comme matrice de l'ambiance identitaire et culturelle dans l'œuvre d'Émile Ollivier*, thèse de maîtrise, Université du Québec à Montréal, 2010, 119 p.

Streicher-Arseneault, Valérie. *Las políticas lingüísticas en Quebec y Cataluña: Un reflejo de las dinámicas sociales*, thèse de maîtrise, Université McGill, 2010, 208 p.

Sullivan, Kristian Ira William. *The French Counts of St. Hubert: An Archaeological Exploration of Social Identity*, thèse de maîtrise, Université de la Saskatchewan, 2010, 278 p.

Verrette, Jean-François. *Les scénarios culturels du cinéma québécois en matière de comportement sexuel*, thèse de maîtrise, Université du Québec à Trois-Rivières, 2010, 96 p.

Vickerman, Alison. *Lowering of High Vowels by French Immersion Students in Canada*, thèse de maîtrise, Université de l'Alberta, 2010, 74 p.

Résumés / Abstracts

Jeanette DEN TOONDER

Lieux de rencontre et de transition : espaces liminaires et zones de contact dans *Nikolski*

Nikolski de Nicolas Dickner est un roman d'apprentissage où l'émancipation et l'autodétermination des trois protagonistes sont motivées par l'absence de liens familiaux. Comme les processus d'émancipation de ces personnages non stéréotypés sont essentiellement déterminés par les lieux où ils s'aventurent, cet article se concentre sur l'étude de ces lieux qui se présentent comme des espaces de l'entre-deux, où l'inconnu et le familier se rencontrent, et qui donnent lieu à des rendez-vous inattendus qui changent le cours de la vie des personnages. La notion de zone de contact, qui permet l'étude approfondie des effets créés par les lieux liminaires et les rencontres entre les personnages, se trouve à la base de cette analyse.

In Nicolas Dickner's coming of age novel Nikolski, *the protagonists' emancipation and self-determination are conditioned by the absence of family ties. The three protagonists, who are free from stereotypes, discover their identity by means of stories, events, travels and contacts that destiny seems to send to them. As their emancipatory processes are essentially determined by the places in which they dwell, this article focuses on the analysis of these in-between places where the familiar and the unfamiliar meet, and that result in fortuitous encounters changing the course of the characters' lives. These developments will be analyzed through the notion of the contact zone, which enables an in-depth study of the effects of the liminal places and encounters between the characters.*

Lucie HOTTE

Le Dernier des Franco-Ontariens : la rencontre entre un livre et un film

Cet article examine comment le réalisateur franco-ontarien Jean Marc Larivière s'inspire du recueil de poésie *Le Dernier des Franco-Ontariens* de Pierre Albert pour construire son film éponyme, qui amalgame des séquences fictives, des passages réalistes, des scènes adaptées du texte d'Albert et d'autres émanant de son imagination et de celle de sa scénariste Marie Cadieux. L'étude des rapports transfictionnels qui s'installent entre le livre et le film permet de soulever les problèmes de réception qu'une telle structure éclectique suscite et de tracer le parcours de spectature inhabituel, c'est-à-dire l'interaction entre le film et le spectateur, qu'elle fonde.

This article examines how Franco-Ontarian filmmaker Jean Marc Larivière builds his movie Le dernier des Franco-Ontariens, *inspired by Pierre Albert's poetry book of the same name, by amalgamating fiction, reality, scenes from the book and others that he and Marie Cadieux, his scriptwriter, devised. The analysis of the transfictionnal rapports linking the book and the movie leads to a study of the reception problems that arise from such an eclectic structure that traces an unusual "parcours de spectature", that is to say an interaction between the film and the spectator.*

Jean-Philippe CROTEAU

Les commissions scolaires et les immigrants à Toronto et à Montréal (1900-1945) : quatre modèles d'intégration en milieu urbain

À la fin du XIXe siècle et au début du XXe siècle, les commissions scolaires montréalaises et torontoises définissent des modèles d'intégration pour assimiler les enfants d'immigrants à la culture, aux valeurs et aux normes de la société d'accueil. Cet article présente successivement les fondements de ces modèles d'intégration, leur mise en œuvre et les stratégies employées pour favoriser la « canadianisation » des immigrants. En dépit de visées communes, les commissions scolaires ont développé des approches distinctes, qui reflètent les conditions sociales et culturelles de leur milieu, pour assurer l'intégration des immigrants à la société canadienne.

Between the end of the 19th century and the beginning of the 20th century, the Montreal and Toronto school boards defined integration models to assimilate children of immigrants to the culture, values and standards of the society in which they arrive. This article successively presents the foundations and implementation of these integration models, as well as strategies used to foster the "Canadianization" of immigrants. Despite common intentions, school boards developed different approaches, which reflected the social and cultural conditions of their environment, to ensure the immigrants integrated into Canadian society.

Geneviève RICHER

« L'apôtre infatigable de l'irrédentisme français » : la lutte de Napoléon-Antoine Belcourt en faveur de la langue française en Ontario durant les années 1910 et 1920

En tant que chef de la résistance au Règlement XVII, qui proscrit l'usage du français dans les écoles bilingues de l'Ontario, Napoléon-Antoine Belcourt suscite l'admiration et la sympathie des nationalistes canadiens-français, qui le considèrent comme un héros de la nation canadienne-française. Pourtant, sa pensée à propos de la langue française en Ontario montre qu'elle est peut-être plus complexe que ce que laissent entendre les nationalistes canadiens-français. Cet article tente de montrer que même s'il cherche à protéger les Franco-Ontariens de l'assimilation, en défendant leur droit d'utiliser leur langue maternelle dans leurs écoles de même qu'au sein de l'Église catholique de l'Ontario au cours des années 1910 et 1920, Belcourt encourage aussi, durant cette période, la construction nationale du Canada, en prônant le maintien de la Confédération et de l'unité nationale.

As the resistance leader against the Regulation XVII which proscribes French language in Ontario's bilingual schools, Napoléon-Antoine Belcourt obtains the admiration and the sympathy of the French-Canadian nationalists who consider him as the hero of the French-Canadian nation. However, his thought on the French language in Ontario demonstrates that it is perhaps more complex than suggested by the French-Canadian nationalists. This article attempts to demonstrate that even if he seeks to protect the Franco-Ontarians against assimilation by defending their right to use their mother tongue in their schools and within the Catholic Church of Ontario during the years 1910 and 1920, Belcourt also encourages, during this period, Canada's nation building by preaching the maintenance of the Confederation and the national unity.

Adeline VASQUEZ-**P**ARRA

L'intégration de l'Amérique francophone dans l'espace touristique européen : le cas de la Maison Champlain à Brouage (France)

Cet article se concentre sur la Maison Champlain fondée dans la ville de Brouage en Charente-Maritime (France), à l'occasion du 400ᵉ anniversaire de la relation France-Canada célébré en 2004. Située entre l'espace culturel et le musée, la Maison Champlain est marquée d'une empreinte à la fois idéologique, de par sa virtualisation de l'objet muséal transformé ici en écran télévisuel, et politique, comme le confirme l'absence de réflexion autour du rapport qui lie la France à son histoire coloniale. Cet article se propose ainsi d'interroger images et représentations de l'Amérique francophone renvoyées aux visiteurs dans ce lieu unique de partage et de connaissance interculturels.

The article focuses on the Maison Champlain established in the city of Brouage (Western France) on the occasion of the 400th anniversary of the France-Canada relation and celebrated in 2004. Situated halfway between a place of cultural exchanges and a museum, the Maison Champlain holds both ideological and political characteristics due to its virtualization of the museum object transformed here into a television screen, and its lack of reflection surrounding the relationship between France and her colonial past. The article suggests questioning images and representations of French America as presented to potential visitors in this unique place of cross-cultural knowledge.

Mariette THÉBERGE **et Marie-Eve S**KELLING **D**ESMEULES

Le Festival Théâtre Action en milieu scolaire comme lieu de rencontre

Cet article vise à montrer la signification du Festival Théâtre Action en milieu scolaire comme lieu de rencontre. Concevant l'expérience comme concept clé, les auteures se demandent en quoi le Festival Théâtre Action en milieu scolaire est un lieu de rencontre de soi et de l'autre, de l'art, de la francophonie ontarienne. La pensée développée dans cet article s'inscrit dans un courant de recherche phénoménologique heuristique, où le dialogue entre la chercheure principale et la cochercheure sert d'ancrage à la réflexion et à la métaréflexion sur le savoir qui découle de cet événement.

The purpose of this article is to reflect on the significance of the Festival Théâtre Action en milieu scolaire *as a meeting place. Viewing the experience as a key concept, we consider it important to analyse the following question in-depth: In what way is the* Festival Théâtre Action en milieu scolaire *a meeting place for the self and others, for art and for Ontario's francophone community? The thinking presented in this article falls within a heuristic phenomenological research trend, where the dialogue between the lead researcher and the associate researcher establishes a foundation for the reflection and the metareflection on the knowledge that ensues from this event.*

Notices biobibliographiques

Patrick BERGERON est professeur agrégé au Département d'études françaises de l'Université du Nouveau-Brunswick. Spécialiste de littérature européenne (XIXᵉ-XXᵉ siècles), il s'intéresse tout particulièrement aux voix singulières du roman féminin ainsi qu'aux représentations de la mort et aux imaginaires de la fin. Outre des articles récents sur Mireille Havet, Rachilde, Hofmannsthal et Paul Leppin, il a publié, en collaboration avec Marie Carrière, *Les réécrivains : enjeux transtextuels dans la littérature moderne d'expression française* (Peter Lang, 2011).

Monika BOEHRINGER est professeure agrégée à l'Université Mount Allison, où elle donne des cours sur l'Acadie et l'écriture au féminin, domaines dans lesquels elle a publié de nombreux articles. Créatrice du site Web *Auteures acadiennes = Acadian Women's (Life) Writing*, qui répertorie plus de 80 auteures, elle a codirigé *Entre textes et images : constructions identitaires en Acadie et au Québec* (Institut d'études acadiennes, 2010). Son édition critique de *Sans jamais parler du vent* de France Daigle sera publiée chez le même éditeur.

Constance CARTMILL est professeure de français à l'Université du Manitoba, à Winnipeg, où elle enseigne la rhétorique, l'analyse textuelle et la littérature française du XVIIᵉ siècle. Elle s'intéresse en particulier à la littérature épistolaire, aux écritures de soi (lettres, journaux, relations de voyage et correspondances) et à la problématique de la présentation de soi. Ses recherches actuelles portent sur les femmes mémorialistes de l'Ancien Régime. Elle collabore également à la traduction et à l'édition critique des journaux de mer reliés à l'expédition française menée par La Pérouse à la baie d'Hudson, en 1782.

Pénélope CORMIER est étudiante au doctorat à l'Université McGill, où elle travaille à une synthèse de la littérature acadienne de 1990 à 2005. Ses recherches portent sur la littérature acadienne, les petites littératures et les rapports de la littérature à la société contemporaine. Elle est responsable des actualités littéraires acadiennes pour la revue *Nouvelles études francophones* et elle a publié des comptes rendus et des articles, notamment dans les revues *Liaison, Canadian Literature = Littérature canadienne, Francophonies d'Amérique* et *Voix et images*.

Jean-Philippe Croteau est chercheur indépendant. On lui doit des articles sur l'intégration scolaire de la communauté juive à Montréal, le financement des écoles publiques et les enjeux liés à la taxe scolaire et à la démocratisation de l'éducation. Depuis peu, il privilégie l'approche comparative pour analyser les mouvements et les tendances politiques, éducatives et sociales survenues au Québec et en Ontario. Ses travaux et ses recherches portent actuellement sur les politiques des commissions scolaires montréalaises et torontoises vis-à-vis des immigrants, entre 1875 et 1960.

Jeanette den Toonder dirige, depuis 2005, le Centre d'études canadiennes de l'University of Groningen, aux Pays-Bas, où elle enseigne les littératures française et francophone en qualité de maître de conférences au Département de langues et cultures romanes. Ses recherches portent sur les questions d'identité, d'autobiographie, de voyage et d'espace, notamment dans le roman francophone contemporain du Canada. Elle a dirigé plusieurs ouvrages collectifs, dont *Romans de la route et voyages identitaires*, avec Jean Morency et Jaap Lintvelt (Nota bene, 2006). Ses publications récentes analysent l'entre-deux dans le roman *Aaron* d'Yves Thériault (*Canadian Literature = Littérature canadienne*, n° 206 (automne 2010)) et l'autofiction dans l'œuvre de France Daigle (*Relief*, vol. 3, n° 1 (2009)).

Krysteena Gadzala est étudiante en éducation à l'Université Nipissing (North Bay, Ontario). Elle a obtenu un baccalauréat en français à l'Université de Waterloo en 2011. Pendant la dernière année de son baccalauréat, elle était l'assistante de rédaction pour le numéro 29 de *Francophonies d'Amérique*. Elle compte faire sa maîtrise à l'Université de Waterloo en littérature franco-ontarienne. Elle songe à examiner la structure textuelle de l'identité collective et subjective dans le théâtre franco-ontarien.

Lucie Hotte est vice-doyenne à la recherche à la Faculté des arts de l'Université d'Ottawa, où elle est aussi titulaire de la Chaire de recherche sur les cultures et les littératures francophones du Canada et professeure agrégée au Département de français. Elle y enseigne les littératures franco-ontarienne, acadienne, francophone de l'Ouest canadien et québécoise. Ses plus récentes publications sont : *Habiter la distance : études en marge de* La distance habitée (Prise de parole, 2009), codirigé avec Guy Poirier; *Introduction à la littérature franco-ontarienne* (Prise de parole, 2010), codirigé avec Johanne Melançon; et *(Se) Raconter des histoires : Histoire et histoires dans les littératures francophones du Canada* (Prise de parole, 2010), qui regroupe plus de trente textes portant sur les littératures francophones du Canada.

Isabelle LeBlanc est doctorante en sciences du langage au Département d'études françaises à l'Université de Moncton. Elle travaille sous la direction d'Annette Boudreau et elle s'intéresse aux représentations du genre féminin dans les discours sur la langue dans un contexte minoritaire francophone. Elle détient une maîtrise en science politique de l'Université d'Ottawa, et elle a étudié à l'Université de Poitiers, à l'Institut d'études politiques de Paris et à l'Université de New York à Prague.

Glenn Moulaison est doyen associé à l'Université de Winnipeg. Récemment, il était titulaire de la Chaire de langues et littératures modernes. Il a obtenu un doctorat en littérature française à l'Université de Toronto. Ses travaux de recherche portent principalement sur la poésie du XIXe siècle, en particulier sur les œuvres d'Arthur Rimbaud. Il s'intéresse aussi aux littératures canadienne-française et acadienne, ainsi qu'à l'évolution historique et à la variation géographique de la langue française.

Geneviève Richer est doctorante au Département d'histoire de l'Université d'Ottawa. Elle a d'abord rédigé une thèse de maîtrise sur la carrière politique du premier député juif à l'Assemblée législative du Québec, et publié un article sur le sujet. Elle prépare présentement une thèse de doctorat sur la pensée et l'engagement politique du député et sénateur libéral franco-ontarien Napoléon-Antoine Belcourt. Son projet de doctorat a reçu l'appui financier du Conseil de recherches en sciences humaines du Canada, de l'Association des universités de la francophonie canadienne, du Centre canadien de recherche sur les francophonies en milieu minoritaire de l'Institut français de l'Université de Regina, de même que du Centre de recherche en civilisation canadienne-française de l'Université d'Ottawa.

Pamela V. Sing est professeure de littératures franco-canadienne et québécoise au Campus Saint-Jean de l'Université de l'Alberta. Ses recherches portent sur ces littératures ainsi que sur la production textuelle de Nord-Américains d'ascendance franco-métisse. Ses publications récentes incluent : « *J'vous djis enne cho', là:* Translating Oral Michif French into Written English » (*Québec Studies*, n° 50 (automne 2010 / hiver 2011)) et « Writing the Hinterland (back) into the Heartland: the Franco-Canadian *Farouest* in Two Novels by Nicolas Dickner and D.Y. Béchard » (*British Journal of Canadian Studies*, vol. 24, n° 2 (2011)).

Marie-Eve Skelling Desmeules est étudiante au doctorat à la Faculté d'éducation de l'Université d'Ottawa. Diplômée en interprétation de l'École supérieure de théâtre (Université du Québec à Montréal) et détentrice d'un baccalauréat spécialisé en enseignement du théâtre et du français au secondaire (Université d'Ottawa), elle nourrit un intérêt particulier pour l'enseignement du travail corporel inscrit dans une formation théâtrale au niveau préuniversitaire et, plus précisément, pour les pratiques enseignantes et les expériences d'apprentissage qui y sont liées.

Mariette Théberge enseigne en didactique des arts et en méthodologie de la recherche à la Faculté d'éducation de l'Université d'Ottawa. Elle détient un baccalauréat spécialisé en enseignement de la musique, une maîtrise et un doctorat en éducation. Elle a aussi fait des études théâtrales à l'institut de créativité et d'écriture dramatique d'Alain Knapp, à Paris. Elle a siégé au conseil d'administration de Théâtre Action en 1976, puis y a travaillé en tant que responsable du développement du théâtre professionnel, de 1981 à 1984. Elle préside le comité de rédaction de la revue *Éducation et francophonie* depuis 2002.

Adeline Vasquez-Parra est doctorante en histoire et en études canadiennes à l'Université libre de Bruxelles. Ses recherches portent sur les questions identitaires chez les minorités francophones, notamment acadiennes d'Amérique du Nord, et l'exploitation de leur discours historique dans l'industrie du tourisme et des nouvelles technologies. Elle a effectué plusieurs séjours de recherche aux universités de Moncton et Laval. Ses publications ont paru dans les revues *Mosaïque, Signes, Discours et Sociétés* et *Espaces Temps*.

Politique éditoriale

Francophonies d'Amérique est une revue pluridisplinaire dans le domaine des sciences humaines et des sciences sociales. Elle paraît deux fois l'an. La direction de la revue favorise non seulement la représentation équitable des diverses disciplines, mais elle encourage également les croisements disciplinaires. L'Ontario, l'Acadie, l'Ouest canadien, les États-Unis et les Antilles (Haïti, Martinique, Guadeloupe) y sont représentés. Le Québec peut aussi y être conçu comme un objet d'étude dans son histoire et sa présence continentales. Les diverses facettes de la vie française dans ces régions font l'objet d'analyses et d'études à la fois savantes et accessibles à un public qui s'intéresse aux « parlants français » en Amérique du Nord. On y retrouve aussi des comptes rendus et une bibliographie des publications récentes en langue française issues de ces collectivités. La direction de la revue privilégie la représentation des régions tant par les textes que par les auteurs et encourage les études comparatives et les perspectives d'ensemble. *Francophonies d'Amérique* vise à refléter un secteur de recherche en pleine croissance et constitue ainsi une source de renseignements des plus utiles pour quiconque s'intéresse à la francophonie nord-américaine dans toute sa vitalité.

Procédure d'évaluation des articles

Tous les articles soumis à la revue, y compris les textes sollicités par la direction, les membres du conseil d'administration ou du comité de rédaction, doivent faire l'objet d'une évaluation par au moins deux personnes compétentes. La revue fera appel le plus souvent possible aux membres du comité de rédaction pour assurer l'évaluation des textes. La sollicitation d'un article ou d'un compte rendu n'en signifie donc pas l'acceptation automatique.

Francophonies d'Amérique ne publie que des articles inédits, c'est-à-dire qui n'ont fait l'objet d'aucune publication antérieure, sous quelque forme que ce soit, incluant le site Web de l'auteur, celui du centre de recherche ou celui de l'institution à laquelle il est rattaché.

Numéros thématiques – textes choisis de colloques

Francophonies d'Amérique accueille volontiers des articles provenant de colloques portant sur des sujets pertinents. Un seul numéro par année est normalement consacré à ce type de publication.

La préparation des textes est confiée au responsable du numéro thématique. Tous les articles doivent être remis en un seul dossier, en format Word. La présentation du numéro par le responsable scientifique et les notices biobibliographiques (100 mots) des collaborateurs et des collaboratrices ainsi que les résumés (en français et en anglais) des articles (100 mots) doivent être compris dans le dossier remis à la direction de la revue. Les textes doivent être conformes aux normes et au protocole de rédaction de la revue.

Les manuscrits doivent faire l'objet d'une évaluation normale par les pairs.

En consultation avec les coordonnateurs des différents dossiers, la direction de *Franco-phonies d'Amérique* est responsable du choix final des articles, et elle avisera les auteurs de sa décision.

Nombre de pages

Les numéros de *Francophonies d'Amérique* comptent au maximum 200 pages, incluant la table des matières, l'introduction, les articles, les comptes rendus, les notices biobibliographiques et les pages se rapportant à la revue.

Longueur des articles

Les textes soumis pour publication comptent entre 15 et 20 pages, à interligne double. Les tableaux, les graphiques et les illustrations doivent être limités à l'essentiel ; chaque numéro comprend au maximum 26 tableaux et illustrations.

Présentation des articles

La revue utilise le système de renvoi à l'intérieur du texte, suivi d'une bibliographie des ouvrages cités. Les notes doivent être réduites au minimum, et seules celles qui sont essentielles à la cohésion et à la compréhension de l'article seront publiées. De même, la revue ne publiera que la bibliographie des ouvrages cités.

Présentation des comptes rendus

Les comptes rendus comprennent la référence complète de l'ouvrage recensé en guise de titre, suivie du nom de l'auteur du compte rendu ainsi que ses coordonnées complètes. Nombre de mots : entre 1 000 et 1 200.

Protocole de rédaction

Le protocole de rédaction est disponible dans le site Web de la revue, à l'adresse suivante : [http://www.crccf.uottawa.ca/francophonies_ amerique/protocole.pdf].

Accès libre aux articles

Deux ans après la parution de son article en format imprimé et électronique dans le portail Érudit, l'auteur qui le désire pourra diffuser librement son article après en avoir obtenu l'autorisation de *Francophonies d'Amérique* et en s'assurant que la source de l'article est clairement indiquée.

ABONNEMENT À

MENS
Revue d'histoire intellectuelle et culturelle

La revue *Mens* est vouée à l'étude de l'histoire intellectuelle et culturelle de l'Amérique française. Elle paraît sur une base semestrielle, les printemps et automne de chaque année. Pour s'abonner, il suffit de remplir ce bon et de l'envoyer avec son paiement à l'adresse suivante :

Revue *Mens*
CRCCF
Université d'Ottawa
Pavillon Morisset
65, rue Université, pièce 040
Ottawa (On) K1N 6N5

Nom, Prénom / Institution

Adresse

Ville   Province / État   Code postal

Courriel   Téléphone

Type d'abonnement (Tarif + 5 % de TPS pour le Canada)

- ☐ Étudiant (20 + 1 = 21 $)
- ☐ Étudiant – 2 ans (35 + 1,75= 36,75 $)
- ☐ Régulier (25 + 1,25 = 26,25 $)
- ☐ Régulier – 2 ans (45 + 2,25 = 47,25 $)
- ☐ Institution (35 + 1,75 = 36,75 $)
- ☐ Soutien (50 $ ou autre ____$)
- ☐ Régulier – étranger (40 $ USD)
- ☐ Institution – étranger (45 $ USD)

Paiement par chèque libellé à l'ordre de
Revue *Mens*

☐ Cochez pour obtenir un reçu

N° d'enregistrement TPS : R119278877

Bureau des abonnements
Centre de recherche en civilisation canadienne-française
Faculté des arts
Université d'Ottawa
65, rue Université, pièce 040
Ottawa, ON K1N 6N5
Télé. : 613 562-5800, poste 4007
Téléc. : 613 562-5143

Att. Monique P.-Légaré, mlegare@uOttawa.ca

Abonnement – 2012 (nᵒˢ 33 et 34)

TARIFS ABONNEMENT (VERSION IMPRIMÉE)

Canada (TPS comprise, 5 %)

Étudiant*/retraité	Δ	30 $
Individu	Δ	40 $
Institution	Δ	110 $

À l'étranger (frais d'envoi compris)

Étudiant*/retraité	Δ	40 $ CAN
Individu	Δ	55 $ CAN
Institution	Δ	140 $ CAN

TARIFS À L'UNITÉ

Numéro désiré : …..

Canada (TPS comprise, 5 %)

Étudiant*/retraité	Δ	20 $
Individu	Δ	25 $
Institution	Δ	60 $

À l'étranger (frais d'envoi compris)

Étudiant*/retraité	Δ	28 $ CAN
Individu	Δ	33 $ CAN
Institution	Δ	70 $ CAN

* Une copie de la carte d'inscription est requise

Nom et prénom : _____

Organisme : _____

Adresse : _____

Ville et province : _____

Code postal : _____

Numéro de téléphone : _____ Courriel : _____

Veuillez retourner une copie de ce formulaire au Centre de recherche avec votre chèque libellé au nom de l'Université d'Ottawa. Please return one copy of this form to the Research Centre with your payment payable to the University of Ottawa.

Achevé d'imprimer
en mars deux mille douze, sur les presses
de l'imprimerie Gauvin, Gatineau, Québec